MON FRÈRE, LA MALÉDICTION DE MINUIT ET MOI

Bonne lecture
et
bon été !!
[illegible]
32-42
21-06-2012

Les éditions de la courte échelle inc.
160, rue Saint-Viateur Est, bureau 404
Montréal (Québec) H2T 1A8
www.courteechelle.com

Traduction :
Lori Saint-Martin et Paul Gagné

Révision :
Martin Labrosse

Dépôt légal, 4e trimestre 2011

Bibliothèque nationale du Québec
Édition originale : *The Midnight Curse*, Kids Can Press Ltd.

La courte échelle reconnaît l'aide financière du gouvernement du Canada par l'entremise du Fonds du livre du Canada pour ses activités d'édition.

La courte échelle est aussi inscrite au programme de subvention globale du Conseil des Arts du Canada et elle reçoit l'appui du gouvernement du Québec par l'intermédiaire de la SODEC.

La courte échelle tient également à remercier le gouvernement du Canada de son soutien financier pour ses activités de traduction dans le cadre du Programme national de traduction pour l'édition du livre.

La courte échelle bénéficie du Programme de crédit d'impôt pour l'édition de livres — Gestion SODEC — du gouvernement du Québec.

Catalogage avant publication de Bibliothèque et Archives nationales du Québec et Bibliothèque et Archives Canada

Falcone, L. M. (Lucy M.)

[Midnight Curse. Français]

Mon frère, la malédiction de minuit et moi

Traduction de : The Midnight Curse.
Pour enfants de 9 ans et plus.

ISBN 978-2-89651-497-7

I. Gagné, Paul. II. Saint-Martin, Lori. III. Titre. IV. Titre : Midnight Curse. Français.

PS8561.A574M5414 2011 jC813'.6 C2011-941322-1
PS9561.A574M5414 2011

Imprimé au Canada

L. M. Falcone

Lucy M. Falcone a été enseignante puis détective privée, avant de se mettre à écrire pour la télévision, notamment des séries pour les jeunes. L'adaptation qu'elle a faite de son roman *The Mysterious Mummer* a remporté un vif succès. *Mon frère, la malédiction de minuit et moi* est le quatrième roman qu'elle publie à la courte échelle.

L. M. FALCONE

MON FRÈRE, LA MALÉDICTION DE MINUIT ET MOI

TRADUIT DE L'ANGLAIS
PAR LORI SAINT-MARTIN ET PAUL GAGNÉ

la courte échelle

De la même auteure, à la courte échelle :

Romans hors collection
Le cadavre et moi
Le diable, la dame blanche et moi
Le violoneux masqué et moi

À mon cousin, Frank Falcone,
qui a semé en moi la graine
de la malédiction du Noël italien
à l'origine de ce livre

À Terry Kennedy, ma source d'inspiration

À l'esprit divin qui se balade en moi
de si merveilleuse façon

PROLOGUE

— Tu veux te débarrasser de la malédiction ou pas ?

Elle avait craché les mots.

Charlie a approché la coupe de ses lèvres, les mains tremblantes.

— Ça pue !

Mme Rothbottom a agité un index sous son nez.

— Ça va marcher, je t'assure. Par contre, tu risques de perdre la vue pendant quelques jours.

— Je vais devenir aveugle ?

— Vous êtes sûre qu'il n'y a pas d'autre moyen ? ai-je demandé sur un ton suppliant.

— C'est le seul. Dis à ton frère de boire.

— Vas-y, Charlie. Avale cette fichue potion !

Après m'avoir foudroyée du regard, Charlie s'est pincé le nez et a obéi.

Toussant follement, il a fini par recouvrer la voix.

— Et la malédiction… elle a disparu ?

1

— C'est mauvais signe, répétait mon frère Charlie. Il y a de la catastrophe dans l'air. Je le sens dans mes os… et mes os ne mentent jamais.

Charlie est mon jumeau fraternel. Nous sommes nés en même temps, mais nous ne nous ressemblons pas du tout. Je suis *cool*, calme et raffinée (ouais, bon), avec de longs cheveux roux et des yeux bruns brillants (sous un bon éclairage). Charlie est casse-pieds et mesure trente centimètres de moins que moi dans le sens de la hauteur et (à cause d'un fort penchant pour le chocolat) trente centimètres de plus dans celui de la largeur.

Nous sommes aujourd'hui le 13 mars, jour de notre anniversaire. Cette année, il tombe un vendredi. Eh oui, un vendredi 13. Charlie, le garçon le plus superstitieux de la terre, est persuadé que nous allons nous écraser. Et nous n'avons même pas encore décollé.

Préférant l'ignorer, j'ai regardé par le hublot. Je me suis remémoré le dernier jour d'école avant la semaine de relâche. Tous les élèves se vantaient des endroits qu'ils allaient visiter pendant leurs vacances. Sauf moi. Comme ma mère est sans le sou, nous n'allions nulle part. Tous les deux ou trois ans, lorsque notre situation financière devient désespérée, maman vend nos meubles de salon, jusqu'au dernier. La seule chose qu'elle n'a pas bazardée, cette fois-ci, c'est la télé. Parce que Charlie s'est jeté dessus et a promis de faire la vaisselle jusqu'à la fin de ses jours. Maman l'a pris au mot.

Parfois, quand vous pensez que rien n'égaiera plus votre existence misérable, il se produit quelque chose. C'est ce qui nous est arrivé. Sans crier gare, sous forme d'une livraison exprès de la part d'un parent décédé.

— Jonathan Edward Darcy, a lu maman en détachant lentement les syllabes. Votre arrière-arrière-grand-oncle du côté paternel, celui dont on ne parle jamais.

— Pourquoi ? a lancé Charlie. C'était un attardé ?

Maman l'a regardé de travers.

— Ne sois pas grossier.

— Quoi ? Qu'est-ce que j'ai dit ?

— Il n'était pas attardé, Charlie. Simplement solitaire. Je me rappelle ce que racontait ma grand-mère : oncle Jonathan refusait d'assister aux réunions de famille et ne recevait jamais personne chez lui. Il ne voulait pas qu'on sache où il habitait.

Maman a examiné la lettre.

— Eh bien, le mystère est enfin élucidé. Oncle Jonathan vivait en Angleterre. Au manoir de Blaxston, dans un village du nom de Hampton Hollow.

— Tu vas envoyer des fleurs ? ai-je demandé, même si une telle initiative était au-dessus de nos moyens.

— Trop tard. Il est mort il y a un mois.

— Ils ont utilisé Escargot Express ou quoi ?

— On ne nous invite pas à ses funérailles, a déclaré maman. On nous convie à la lecture du testament.

— Tu as bien dit *du testament* ?

— Absolument.

Charlie a littéralement bondi de son fauteuil.

— Il nous a légué de l'argent ?

Maman a joué des sourcils avant d'agiter trois billets d'avion.

— Bouclez vos valises, les enfants. Nous partons en Angleterre !

D'où notre présence à bord d'un avion, à trois rangées du fond. Charlie était si terrorisé qu'il avait l'air d'un fantôme. De son sac, maman a sorti une photo froissée.

— Regardez ce que j'ai trouvé dans un vieil album, hier soir. C'est votre oncle Jonathan.

Sur l'image en noir et blanc, on voyait un garçon d'une quinzaine d'années, vêtu d'une longue cape chatoyante, un lapin blanc à la main.

— Nous avons un magicien dans la famille ? ai-je demandé.

Avant que maman ait eu le temps de répondre, nous avons entendu, venant du ventre de l'appareil, une sorte de vrombissement. Charlie en a eu le souffle coupé.

— Du calme, a dit maman. C'est juste le bidule qui sert aux bagages.

De nouveau, elle a fouillé dans son sac. Cette fois, elle en a tiré un livre, qu'elle a mis entre les mains de Charlie.

— Je n'ai pas envie de lire, a-t-il gémi.

— La dame de la boutique de cadeaux m'a promis que ça t'occuperait l'esprit. Essaie pour voir.

Les énigmes ont fonctionné à merveille. Plus Charlie se concentrait, plus il semblait détendu. Toutes les deux ou trois minutes, cependant, il me poussait du coude.

— Choisis un chiffre, Lacey. N'importe lequel. Celui que tu veux.

— Deux.

— Multiplie-le par deux.

— Quatre.

— Plus dix.

— Quatorze.

— Divise-le par deux.

— Sept.

— Soustrais le chiffre du début. Que reste-t-il ?

— Cinq.

Charlie m'a montré sa paume, sur laquelle il avait écrit le chiffre cinq.

— Comment as-tu deviné ?

Une voix a retenti, venue de nulle part.

— Mesdames et messieurs, ici le commandant Besher. Nous sommes légèrement retardés en raison d'un petit ennui technique causé par…

— *Sauve qui peut !*

Charlie a couru dans l'allée. Maman l'a ramené à sa place, malgré ses cris et ses ruades. L'« ennui technique » était un voyant du train d'atterrissage qui refusait de s'éteindre. Pas de quoi fouetter un chat. L'agente de bord a posé une serviette humide sur le front de Charlie et, quinze minutes plus tard, nous étions dans les airs.

Les deux premières heures se sont déroulées sans anicroche.

Puis… les choses ont mal tourné.

Pendant le repas, nous sommes entrés dans une zone de turbulences. Dans la cabine, des objets se sont envolés vers le plafond avant de retomber avec fracas. Charlie a reçu son plateau sur la tête et un poisson sur la figure.

Plus tard, on a présenté un film intitulé *Terreur dans le tunnel !* dans lequel des criminels détournent un train rempli d'orphelins. À force de se cramponner aux accoudoirs, Charlie avait les jointures blanches, et il répétait sans arrêt :

— Nous allons mourir, Lacey. Nous allons mourir. Je le sens…

— … dans tes os ?

Il a plissé les yeux et m'a lancé un regard furieux.

— Et mes os ne mentent jamais.

Mon frère dit souvent : « Jamais deux sans trois. » Croyez-moi, il a raison.

En Angleterre, une tempête de neige terrible nous a obligés à tourner en rond au-dessus de l'aéroport pendant une heure. Convaincu que nous allions manquer de carburant, Charlie s'est mis à prier. Il a dû faire le signe de croix au moins une centaine de fois… et nous ne sommes même pas catholiques.

À l'aéroport, il s'est jeté sur le sol et l'a embrassé.

— Jamais je ne remonterai à bord d'un avion. Laissez-moi ici. Je m'en moque. On ne m'y reprendra plus, vous m'entendez ? Le ciel, c'est bon pour les oiseaux, pas pour nous. Moi, je rentre à pied.

— Dans le taxi, jeune homme, a commandé ma mère. Sinon, je te botte les fesses.

La neige battait contre les vitres.

— Drôle de temps pour la saison, a dit le chauffeur.

Je me demandais comment il faisait pour voir devant lui. Il s'est enfin décidé à régler les essuie-glaces à la vitesse maximale. Ils produisaient des sons d'égratignures, comme quand on gratte un tableau noir avec ses ongles. Je me suis bouché les oreilles par crainte de devenir complètement folle, mais Charlie a sorti un sac de la poche de son manteau et me l'a mis sous le nez.

— Joyeux anniversaire, Lacey.

— Je ne t'ai rien acheté.

— La semaine dernière, tu m'as donné ton t-shirt, celui où c'est écrit : « Je suis avec l'affreux. »

— Pas pour ton anniversaire.

— Aucune importance.

J'ai jeté un coup d'œil à l'intérieur : trois tablettes de chocolat miniatures.

— Attends, ai-je commencé. Tu en as eu dix pour un dollar. Où sont les sept autres ?

— Qu'est-ce que tu crois ? Je les ai mangées.

Je l'ai frappé avec le sac.

Maman nous a ordonné de modérer nos transports et de profiter du paysage. Quel paysage ? Il neigeait tellement qu'on aurait dit que quelqu'un avait recouvert l'auto d'une couverture.

Pour tuer le temps, Charlie a lu encore quelques énigmes et j'ai songé aux vêtements que j'achèterais lorsque nous aurions touché la fortune d'oncle Jonathan. Maman a dormi pendant le trajet, la bouche grande ouverte, comme une morte. À l'occasion, elle laissait échapper un ronflement de rhinocéros qui nous faisait sursauter, Charlie et moi.

— Comment papa pouvait-il dormir avec elle ?

Les yeux de Charlie se sont attendris.

— Il l'aimait.

J'ai surpris le chauffeur en train de nous observer dans le rétroviseur.

— Votre père ne vous accompagne pas ?

On a beau le répéter cent fois, ce n'est jamais facile.

— Il est mort. Il y a quatre ans. Dans un accident de voiture.

Après ce qui nous a semblé des heures, nous sommes enfin arrivés dans un minuscule village, avec des maisons et des magasins à l'aspect vraiment démodé. J'avais l'impression d'être revenue cent ans en arrière.

— Voici Hampton Hollow.

Le chauffeur s'est arrêté devant un tout petit hôtel aux volets verts. Une fois installés, nous sommes descendus manger. Charlie a frissonné de joie en voyant que son plat favori figurait au menu : des fèves au lard à la mélasse. Il en a dévoré trois bols avant que maman y mette le holà. Elle a affirmé qu'il pétaraderait toute la nuit et c'est en plein ce qui s'est produit. Ses gaz nous réveillaient toutes les cinq minutes. Une vraie zone de guerre.

Le lendemain, le temps était encore exécrable. Nous avons donc regardé la télé jusqu'au moment convenu pour la lecture du testament. À dix-neuf heures, nous nous sommes habillés avant de commander un taxi. Nous l'avons attendu très longtemps. Charlie a commencé à s'inquiéter : en cas de retard, peut-être serions-nous déshérités. Maman lui a expliqué que les choses ne se passaient pas de cette façon. Enfin, la voiture est arrivée et nous nous y sommes entassés. Le chauffeur est sorti du village, a effectué deux ou trois virages, puis il a gravi une côte raide avant de s'engager sur une route de campagne. Après environ cinq minutes, nous avons franchi un pont de bois, et nous nous sommes immobilisés.

— Manoir de Blaxston, a dit le chauffeur d'une voix qui ressemblait beaucoup trop à celle de Dark Vador.

La bâtisse se dressait fin seule au milieu d'un champ immense. Elle avait trois étages et une multitude de voûtes et de hautes fenêtres. Trois gargouilles regardaient fixement dans le noir.

— Dracula adorerait cet endroit, a chuchoté Charlie.

2

Le taxi a fait demi-tour dans l'allée, maman a payé le chauffeur et nous avons gravi les marches en pierre qui conduisaient à la maison. Il y en avait au moins vingt. En haut, j'ai senti une certaine appréhension monter en moi. Je ne sais pas pourquoi, au juste, mais je crois que les deux vieilles chaises berçantes du perron y étaient pour quelque chose. Elles se balançaient au même rythme… Seulement, elles étaient vides.

Maman a soulevé un gros heurtoir en laiton et l'a laissé retomber sur la plaque métallique. La porte s'est ouverte lentement en grinçant et un vieillard en tenue de majordome a dit :

— Madame Darcy ?

— C'est moi.

— Entrez, je vous prie. Nous vous attendions.

Le hall d'entrée était d'une taille sidérante.

— Notre appartement au grand complet tiendrait là-dedans, ai-je murmuré à l'oreille de Charlie.

— Je n'ai pas de mal à le croire.

Les verres de ses lunettes étaient embués.

— Je m'appelle Cornelius... Cornelius Twickenham. J'ai été au service de M. Darcy pendant quarante-cinq ans.

Maman a secoué la tête.

— Quelle loyauté, monsieur Twickenham !

Il a souri et il a aidé maman à enlever son manteau. J'ai aussi ôté le mien.

— Puis-je prendre votre manteau et votre écharpe ? a-t-il demandé à Charlie. Il fait bon, ici.

Charlie s'est débarrassé de ses vêtements chauds. Cornelius a tout accroché à une patère semblable à un trône.

— Si vous voulez bien me suivre... L'avocate vous attend dans la bibliothèque.

Nous avons emprunté un long couloir sombre. Au bout, Cornelius s'est retourné brusquement et nous a regardés, Charlie et moi.

— Les formalités risquent de prendre du temps, a-t-il lancé. Pourquoi n'en profiteriez-vous pas pour visiter la maison ? Je m'occuperai de votre mère.

Maman nous a dit qu'elle nous tuerait si nous cassions quelque chose. Après avoir promis d'être bien sages, nous sommes retournés dans le couloir.

La première pièce dans laquelle nous sommes entrés était fermée par une énorme porte brune à deux battants qui, au lieu de s'ouvrir normalement, coulissaient et entraient dans le mur.

Nous avons abouti dans un gigantesque salon rempli de décorations de Noël.

Charlie a souri.

— Noël en mars ! Génial !

Il a balayé les environs des yeux.

— Il y a peut-être des cadeaux.

— Tu prends tes désirs pour des réalités.

Des lumières chatoyaient dans tous les coins et un haut sapin bien décoré se dressait au centre de la pièce. Jamais je n'en avais vu de plus beau : des chandelles se consumaient sur chacune des branches et, au sommet, un ange doré semblait me sourire. Après la mort de papa, maman avait cessé de monter notre petit arbre de Noël en plastique. Elle disait que ça la rendait trop triste.

En examinant la pièce, Charlie et moi sommes tombés sur un énorme plateau chargé de friandises : des gâteaux, des biscuits et des tonnes de chocolats.

— Tu crois qu'on peut en prendre ? ai-je demandé.

— Personne n'en saura rien, a répondu Charlie en fourrant un biscuit entier dans sa bouche.

C'était si bon que j'avais peine à me retenir. Maman n'avait jamais assez d'argent pour nous acheter de pareilles gâteries.

Un bruit m'a fait me retourner.

Il venait de l'horloge de parquet qui occupait un coin de la pièce. C'était un cliquètement, semblable à celui du dérailleur d'un vélo quand on change de vitesse. Puis il a commencé à s'intensifier.

Charlie s'est bouché les oreilles et je l'ai imité, mais le vacarme était si violent que nous en avions mal.

— Ouille, ouille, ouille ! a pleurniché Charlie.

— Viens ! ai-je crié.

Nous avons couru jusqu'au fond du salon et franchi une petite porte noire. Le son s'est enfin tu, même si nous avions toujours des tintements dans le crâne.

— Je pense que mes tympans sont crevés, a marmonné Charlie en se frappant la tempe avec la main.

De la poussière d'étoile scintillante s'échappait de son oreille.

Le souffle coupé, j'ai eu un mouvement de recul.

— Qu'est-ce qu'il y a là-dedans, Lacey ? Dis !

J'avais beau regarder, je ne voyais que de la cire d'oreille.

Charlie a de nouveau secoué la tête. Il n'a réussi qu'à provoquer un nouvel afflux de paillettes.

— J'ai peur !

J'ai agité la main. D'autres sont apparues.

— Ça ne vient pas de toi, Charlie.

J'ai une fois de plus exécuté quelques mouvements très rapides.

— C'est dans l'air. Regarde.

Nous nous sommes amusés avec les étincelles pendant un moment, puis nous avons parcouru la pièce. Elle était remplie d'instruments de musique : tubas, violoncelles, trompettes, tambours. À notre passage, chacun faisait quelque chose. Le tuba s'est mis à jouer tout seul en laissant échapper des bulles de couleur par son pavillon. Puis le violoncelle s'est ouvert comme une porte. Nous nous sommes penchés sur lui, et des papillons bleus ont surgi et voleté jusqu'au plafond.

Dans son coin, le piano s'est brusquement animé.

Un pantin en bois était assis sur le banc, les mains sur le clavier. Lentement, il a tourné la tête vers nous.

— Choisissez un air, n'importe lequel, et je vais l'interpréter pour vous.

— *Cent kilomètres à pied*, a crié Charlie.

Sans plus de préambule, l'homme en bois s'est mis à l'œuvre.

— Génial.

Nous avons accompagné la musique en chantant. À quatre-vingt-quinze kilomètres,

Charlie s'est arrêté. Son visage joufflu a pris un drôle d'air.

— Oh non !

— Quoi ? Qu'est-ce qu'il y a ?

— Les fèves !

Il a décollé telle une fusée.

J'ai chanté encore quelques couplets, pendant que Charlie cherchait une salle de bains.

— *Quatre-vingt-onze kilomètres à pied, ça use, ça use, quatre-vingt-onze kilomètres à pied, ça use les souliers.*

Puis, par une autre porte, Charlie est entré dans la pièce au pas de course. En voyant où il se trouvait, il a écarquillé les yeux.

— Comment est-ce que j'ai abouti ici ?

J'ai ri et continué à chanter.

— *Quatre-vingt-dix kilomètres à pied, ça use, ça use, quatre-vingt-dix kilomètres à pied, ça use les souliers.*

— Tais-toi !

— *Quatre-vingt-neuf kilomètres...*

— Je vais exploser ! Comment peux-tu rester là à t'égosiller ?

— Facile. Écoute. *Quatre-vingt-huit kilomètres à pied...*

— Je vais me venger, Lacey !

— *Quatre-vingt-sept kilomètres à pied...*

Charlie s'est mis à pleurer. Comme un bébé.

J'ai roulé les yeux.

— Bon, bon, ça va, arrête de chialer.

— Alors aide-moi !

J'ai quitté la pièce sur les talons de Charlie et nous avons galopé comme des fous. J'ai fini par trouver ce que nous cherchions.

— Ici, Charlie !

Il s'est précipité à l'intérieur. Une seconde plus tard, un pet tonitruant a retenti. Fort, mais aussi long, très, très long. J'étais si gênée que je me suis réfugiée dans la pièce la plus proche.

On y avait accroché au moins une centaine de miroirs. Partout où je posais les yeux, mon image se reflétait à l'infini. Je me suis promenée en m'admirant sous tous les angles, puis j'ai entendu Charlie qui m'appelait. La porte de la salle de bains était toujours fermée.

— Ça va, Charlie ?

Pas de réponse.

J'ai frappé.

— Charlie ?

Silence. J'ai ouvert pour glisser la tête à l'intérieur. Charlie avait disparu, mais la puanteur persistait. J'ai refermé aussi sec, et je suis partie à sa recherche.

Il n'était nulle part.

— Charlie… Montre-toi tout de suite !

Il restait introuvable.

Maman me tuerait si je l'avais perdu pour de bon.

— Bon, tu l'as eue, ta vengeance. Désolée d'avoir chanté. Maintenant, sors de ton trou, où que tu sois.

Toujours rien. J'ai jeté un coup d'œil dans toutes les pièces et tous les placards que j'ai vus. Pas de Charlie.

J'ai eu un mauvais pressentiment.

— Arrête de faire l'andouille. Où es-tu ?

De retour dans la grande salle, j'ai aperçu un long escalier en colimaçon. En passant tout près, j'ai entendu les marches grincer au-dessus de ma tête.

Je me suis immobilisée, puis j'ai reculé d'un pas… et j'ai souri.

3

Sur le mur du premier palier, j'ai vu un énorme tableau, le portrait d'un homme vêtu d'une redingote noire au col montant. Vraiment très vieux, il avait des cheveux blancs ondulés, un long nez et les yeux les plus tristes que j'aie jamais vus. C'était forcément oncle Jonathan.

Je suis montée encore, certaine de trouver Charlie. Mon espoir a été déçu. J'étais au deuxième étage.

Il y avait quinze portes, sept à gauche, sept à droite et une au fond. Seule la dernière avait une taille normale. Toutes les autres étaient monumentales.

— Charlie, sale vermine, où es-tu ?

Silence.

— *Charlie !*

Sur l'épaisse moquette rouge ornée de petites fleurs jaunes, je me suis avancée vers la porte la plus proche. Verrouillée. Comme la suivante était ouverte, j'ai jeté un coup d'œil à l'intérieur. C'était une chambre. Le couvre-lit, les rideaux, les meubles... tout était blanc. Même les roses. Mon imagination me jouait sûrement des tours, mais j'avais la nette impression que les fleurs fredonnaient. Leur chant m'a rassurée, m'a fait penser à maman. Quand papa vivait encore, elle avait l'habitude de chantonner. Dans ces moments-là, il la savait heureuse.

Soudain, la fenêtre a laissé filtrer un rayon de lune. Les roses ont étincelé. Elles étaient si jolies. J'ai franchi le seuil et tendu la main vers l'une d'elles. À cet instant précis, tous les pétales sont tombés. Je les ai ramassés le plus vite possible. Après les avoir fourrés dans le vase, je suis sortie en courant.

J'ai balayé le couloir du regard. Personne. Ouf. On ne saurait jamais qui avait fait le coup.

La pièce suivante était une lingerie, aussitôt suivie d'une salle de bains. Je me suis aventurée un peu plus loin. Les seuls bruits étaient les grincements du parquet sous mes pas.

Il y avait trois chambres d'affilée, chacune remplie à craquer de meubles antiques.

— Charliiie !

Au bout du couloir se trouvait la petite porte. Je l'ai ouverte lentement et j'ai jeté un coup d'œil. C'était une pièce circulaire, aux murs en brique rouge. Vide... absolument vide.

Un trait de lumière blanche a embrasé les lieux. La foudre ? En hiver ?

Le coup de tonnerre a ébranlé la maison, tellement que les fenêtres se sont ouvertes. Je me suis précipitée pour les refermer.

J'ai perçu un mouvement dans la cour.

Le front contre la vitre froide, je discernais un gros arbre noir. À travers les flocons, j'ai vu une balançoire en bois suspendue par des cordes. Elle oscillait si vite que j'en ai eu la chair de poule.

Au moment où j'allais sortir, j'ai remarqué des marches. Faites de la même brique rouge, elles se fondaient dans le mur. Au-dessus de l'ouverture, un écriteau en laiton proclamait : ESCALIER 13. En me penchant, j'ai murmuré :

— Tu es là-haut, Charlie ?

J'ai commencé à grimper. Au bout de cinq ou six marches, j'ai entendu soudain une sorte de hurlement. Revenant sur mes pas, je me suis ruée vers la porte. La poignée refusait de bouger.

J'ai eu beau la secouer, rien n'y a fait. J'ai frappé, mais personne n'est venu. Mes cris sont eux aussi restés sans réponse.

Il y avait forcément une autre issue. Peut-être un bord de fenêtre ou une sortie de secours ? Non, pourtant. De nouveau, le hurlement a retenti.

Différent, cette fois. Alors j'ai compris. *C'était le vent, seulement le vent.*

Je me suis un peu détendue, puis j'ai essayé d'ouvrir une fois de plus. En vain. J'ai compris que je n'avais pas le choix : pour sortir de là, je devrais emprunter l'escalier.

J'ai gravi les marches, une à une. Au bout d'une vingtaine, j'ai aperçu une porte, aménagée en plein dans le mur de briques. ESCALIER 9, disait la plaque en laiton.

J'ai ouvert et j'ai passé la tête par l'entrebâillement. Une lumière brillait au pied d'un escalier en bois. Au risque de paraître folle, je dois avouer qu'elle m'attirait. Je l'ai suivie. Une marche grinçante après l'autre, je suis descendue jusqu'au fond. Là, devant moi, s'étirait le plus long couloir que j'aie vu de ma vie. Les murs et le plafond étaient recouverts des mêmes briques, mais sans portes ni fenêtres. En plissant les yeux, je distinguais une silhouette, au bout.

— Hou ! hou !

Pas de réponse.

— La porte du deuxième s'est refermée sur moi ! ai-je crié. Vous connaissez une autre sortie ?

Toujours rien.

J'ai commencé à marcher lentement en longeant la paroi. Plus je m'éloignais, plus je grelottais. Un peu comme dans notre appartement. Je me suis frotté les bras. D'où venait le froid ? Il n'y avait pas la moindre ouverture en vue.

Près du fond, j'ai aperçu un garçon assis sur une chaise berçante verte. Il avait à peu près mon âge.

— Est-ce que tu connaîtrais un certain Charlie Darcy, par hasard ? a-t-il lancé.

— C'est mon frère.

Le garçon a brandi une bouteille.

— Quelqu'un m'a chargé de lui remettre ceci.

— Qui donc ?

— Jonathan Darcy… C'est beau, n'est-ce pas ?

— Charlie n'est pas particulièrement porté sur les bouteilles.

— Ah ! mais celle-ci n'a rien d'ordinaire. Il y a un message à l'intérieur.

— Lequel ?

Le garçon a souri.

— Aucune idée. Apparemment, Jonathan y a soufflé quelques mots avant de la refermer. Charlie n'a qu'à la déboucher pour les entendre.

— Génial.

J'ai pris l'objet en question.

— Il a laissé quelque chose pour moi ?

— Pas que je sache. Désolé.

Le garçon m'a dit que la seule façon de sortir de là était de remonter l'escalier 9.

— Parfois, la porte se coince. Il suffit de la secouer un peu.

J'ai rebroussé chemin, la bouteille à la main. De retour dans la chambre circulaire, j'ai donné un violent coup de pied à la porte et elle s'est ouverte. Charlie attendait de l'autre côté.

— Où étais-tu ?

Il avait l'air très fâché.

— Je t'ai cherchée partout. Tu sais que je déteste être seul. Je vais le dire à maman.

J'étais sur le point de lui promettre une mort atroce quand il a aperçu la bouteille.

— Qu'est-ce que c'est ?

Du tac au tac, j'ai dit :

— Joyeux anniversaire, Charlie.

Je la lui ai tendue.

— Pour moi ?

Au moment où il allait poser la main dessus, j'ai retiré l'objet.

— Seulement si tu ne dis rien à maman.

Charlie a plissé les yeux.

— Dans ce cas, garde-la, ta bouteille. Je veux te voir te tordre de douleur quand maman va te botter les fesses jusqu'à plus soif.

Sur ces mots, il a pivoté sur ses talons et s'est éloigné.

— Il y a un message dedans.

Charlie s'est arrêté.

— Quel genre de message ?

— C'est de la part d'oncle Jonathan. Je n'en sais pas plus.

Lentement, il a pivoté et s'est approché de moi, la main tendue.

— Marché conclu ?

— Marché conclu.

— Croix de bois, croix de fer, si je mens, je vais en enfer ?

— Ouais, ouais.

Rapidement, il s'est signé et je lui ai remis son cadeau.

Charlie a tenté de faire tourner le bouchon, l'a tiré avec ses dents, l'a secoué d'avant en arrière. Il ne bougeait pas.

— Comment vais-je m'y prendre pour récupérer le message si cette satanée b…

— Laisse-moi essayer.

— Toi ? Avec tes muscles ridicules ?

Il a serré la bouteille entre ses jambes. Après un ultime effort, le bouchon a fait pop !

Charlie a souri, puis il a fermé un œil et a regardé à l'intérieur. Il a porté la bouteille à son oreille.

Une voix basse et rauque a murmuré :

— **La malédiction de minuit est sur toi!**

4

Charlie a laissé tomber la bouteille par terre, et elle a éclaté en mille morceaux.

— Qu'est-ce que c'est que ça ? a-t-il crié.

— Je... je ne sais pas.

— Qu'est-ce qu'il voulait dire par « malédiction » ? Hein, Lacey ?

— C'est probablement une mauvaise plaisanterie.

Je tentais de désamorcer la situation.

— Un truc comme on en trouve dans les boutiques de farces et attrapes. Tu vois le genre ?

— As-tu entendu cette voix ? Elle n'avait rien de drôle ! Je suis maudit ! Qu'est-ce que je vais devenir ? Je suis *maudit* !

— Le garçon ! me suis-je écriée.

— *Quel* garçon ?

— Celui qui m'a donné la bouteille... Il saura ce que ça signifie, lui.

J'ai couru dans la salle circulaire, dévalé les marches et ouvert violemment la porte. Au bas de l'escalier, le couloir était désert.

Derrière moi, Charlie soufflait comme une baleine.

— *Où est-il ?*

— C'est insensé, ai-je dit. Cet endroit n'a ni portes ni fenêtres. Il ne s'est tout de même pas volatilisé.

— Les magiciens disparaissent toujours.

Je me suis précipitée au bout du couloir.

— Il n'est pas magicien.

— Qu'est-ce que tu en sais ?

— C'est seulement un garçon, pour l'amour du ciel.

À l'autre extrémité, j'ai palpé les briques et j'ai essayé de les enfoncer.

— Qu'est-ce que tu fabriques, Lacey ?

— Si le chemin que nous avons pris est le seul moyen de rentrer dans la maison, il est forcément encore ici.

— Où ça ? Je ne vois personne.

— Je ne sais pas, Charlie. Mais il était assis sur une chaise berçante verte, juste ici ! Il est peut-être derrière ce mur.

— Il y a un passage secret ?

— Ça se pourrait bien.

Nous avons tâtonné à gauche et à droite, à la recherche d'un bouton ou d'un autre mécanisme. Rien n'a bougé.

— On n'y arrivera pas, a dit Charlie en assénant un coup de poing aux briques.

La paroi s'est ouverte et il est tombé.

— *Lacey !*

Sa main a saisi la mienne et il m'a entraînée à l'intérieur, où il faisait nuit noire.

— Où sommes-nous ? a gémi Charlie.

Mon cœur battait la chamade.

— Je ne sais pas.

Au loin, un piano a commencé à jouer.

J'ai froncé les sourcils.

— Tu entends ça ?

— Je ne suis pas sourd.

Brusquement, le sol a basculé et nous avons glissé sur un long plan incliné en hurlant à pleins poumons. Deux ou trois secondes plus tard, nous avons atterri sur un parquet dur comme de la pierre.

— OUILLE !

Roulant sur moi-même, je me suis assise.

— Ça va, Charlie ?

Il a tourné la tête.

— Je pense que je me suis cassé le cou.

Tandis qu'il cherchait ses lunettes à tâtons, je me suis aperçue que nous étions dans une chambre d'enfant. Des avions miniatures étaient accrochés au plafond à l'aide de ficelles. Au milieu de la pièce se dressait un château entouré de centaines de soldats de plomb marchant au pas.

— Je vous attendais.

Un garçon a franchi la porte du château.

— C'est lui ! me suis-je écriée.

Charlie a remis ses lunettes sur son nez.

— Qui es-tu ?

— Je suis celui qui a donné la bouteille à ta sœur.

— Eh bien, moi, je suis celui qui l'a *débouchée* ! Et je n'aime pas particulièrement être *maudit*. Alors reprends-la.

— J'ai bien peur que ce soit impossible.

Charlie a voulu se jeter sur lui.

Le garçon s'est esquivé et Charlie a atterri sur des soldats.

— Tout doux. La violence ne mène à rien.

Charlie s'est élancé de nouveau.

— Charlie, non !

J'ai tenté de le retenir et nous nous sommes écrasés sur le château. Ma tête a heurté un objet et tout est devenu noir.

J'ignore combien de temps je suis restée inconsciente, mais, au moment où mes paupières se sont relevées, j'avais drôlement mal au crâne.

La porte s'est ouverte et Cornelius s'est approché de moi en tenant un plateau d'argent sur lequel un verre était posé.

— Du jus d'orange ? a-t-il demandé. Fraîchement pressé.

— Où suis-je ?

— Dans votre chambre, bien entendu.

J'ai jeté un coup d'œil autour de moi. C'était la pièce aux roses blanches.

— Ce n'est pas ma chambre.

— Vous en êtes sûre ?

— Évidemment !

— Je vais le boire, ce jus, a dit une voix.

En me retournant, j'ai vu le garçon assis dans un fauteuil près de la fenêtre. Cornelius s'est avancé vers lui et lui a tendu le verre. Il a hoché la tête avant de sortir.

— Qui es-tu ? Qu'as-tu fait de Charlie ? Où est ma mère ?

— Je m'appelle Daniel. J'ai kidnappé Charlie. Ta mère est morte.

— Lacey !

Une main m'a giflée.

— Ouille !

J'ai ouvert les yeux. Charlie me regardait.

— Ça va ?

Vite, je me suis assise et je me suis tournée vers le fauteuil. Il était vide.

— Où est-il ?

— Qui ça ?

— *Daniel.*

— Daniel qui ?

— Il a dit qu'il t'avait kidnappé et que maman était morte !

— *Morte ?*

J'ai vu la bouteille bleue sur la commode.

— Comment peut-elle être encore là ? Tu l'as cassée.

— Quoi donc ? a fait Charlie.

— Comment as-tu pu oublier ? La malédiction !

— *Quelle* malédiction ?

— *Celle qui pèse sur toi !*

Charlie a écarquillé les yeux et couru dans le couloir. Je suis sortie du lit pour me lancer à ses trousses. Nous avons descendu l'escalier en vol plané, ou presque. Pendant ce temps, Charlie criait :

— Au secours ! À l'aide !

Daniel s'est planté devant lui.

— Il y a un problème ? a-t-il demandé en mordant dans un sandwich.

Charlie l'a contourné et m'a montrée du doigt par-dessus son épaule.

— Ma sœur a perdu la boule. Voilà ce qu'il y a !

— Ah bon ? a dit Daniel en prenant une autre bouchée. Décidément, ça manque de cornichons.

Il est retourné dans le couloir.

Nous nous sommes dévisagés, Charlie et moi. J'ai fait un pas en avant. Il a reculé d'autant.

— Je ne suis pas folle, Charlie. Il se passe quelque chose de louche dans cette maison.

— Qu'est-ce que tu entends par « louche » ?

— Tu te rappelles la bouteille ?

— Quelle bouteille ?

— Celle qu'oncle Jonathan t'a donnée.

Charlie promenait ses yeux à gauche et à droite, à la recherche d'une porte de sortie.

— Oncle Jonathan est *mort*. Comment aurait-il pu m'offrir un cadeau ?

— Attends-moi ici. Ne bouge pas.

— D'accord. Comme tu veux.

— *Promets*-le moi.

Charlie a tracé un X sur sa poitrine.

— Croix de bois, croix de fer, si je mens, je vais en enfer.

J'ai dévalé l'escalier. La bouteille était toujours dans la chambre. Bien. Puis j'ai remarqué un tigre gravé dans le verre.

C'était une autre bouteille.

5

Charlie n'était plus sur le palier où je l'avais laissé.

Des cornichons !

J'ai couru jusqu'au fond de la maison, descendu une courte volée de marches, effectué un virage et fait irruption dans la salle à manger. Pendant ce temps, j'ai entendu :

— T-u p-e-n-s-e-s q-u-e ç-a v-a m-a-r-c-h-e-r ?

On aurait cru une voix d'enfant à l'élocution très lente. Puis Daniel a dit :

— Je vais tout mettre en œuvre pour y parvenir.

Dans la cuisine, j'ai trouvé Daniel à côté du réfrigérateur. D'une main, il tenait un pot. De l'autre, il en tirait un cornichon long et plat. Nous étions seuls, lui et moi.

— À qui parlais-tu ? lui ai-je demandé.

— À personne.

— J'ai entendu quelqu'un.

Daniel m'a regardée en souriant.

— Il m'arrive de me parler tout seul. Ça m'aide à passer le temps.

À quel jeu jouait-il ?

— Cette voix n'était pas la tienne.

— Tu entends des voix, maintenant ? Alors Charlie a raison. Tu es folle.

J'ai senti mon visage s'empourprer.

— C'est faux, et tu le sais très bien.

— Tout ce que je sais, c'est que j'aime les cornichons.

Il m'a tendu le bocal.

— Tu en veux un ?

J'ai accepté l'objet avant de le lancer dans la poubelle. J'ai regardé Daniel droit dans les yeux.

— Tu m'as remis une bouteille.

— Ah bon ?

— Elle renfermait une malédiction.

Il a eu l'air surpris.

— Une quoi ?

— Ne fais pas l'innocent. Et tu ne sortiras pas d'ici avant de m'avoir expliqué ce qui se passe.

— De quoi parles-tu, au juste ?

J'ai levé le poing dans le but de l'assommer.

— R-a-c-o-n-t-e.

Je me suis retournée, haletante.

— R-a-c-o-n-t-e.

— Va te rasseoir dans ton fauteuil, a sifflé Daniel.

— *À qui parles-tu ?*

Il n'a pas répondu.

La seule cachette possible, c'était sous la table. Au moment où je me penchais, j'ai senti une ombre se profiler sur moi.

— Salut, Lacey.

Charlie a foncé vers le frigo et a ouvert la porte.

— D'après Cornelius, il y a de la pizza, ici. Pepperoni et champignons.

— C'est meilleur chaud, a dit Daniel en montrant du doigt le four grille-pain.

Charlie y a glissé deux pointes, a refermé le couvercle avec fracas et a tourné le cadran.

— Tu devrais voir la salle de jeu, Lacey. Elle est *géniale*.

— Allez-y donc, a proposé Daniel. J'apporte la pizza dès qu'elle est prête.

Charlie m'a entraînée. Près de la porte, je me suis arrêtée et j'ai tourné la tête. « Plus tard », a articulé Daniel en silence.

J'ai suivi Charlie jusque dans la grande salle, puis nous avons descendu une volée de marches — ESCALIER 7. L'immense salle de jeu était équipée de stroboscopes, de billards électriques, d'un terrain de basketball, d'un minigolf et de voitures munies d'un écran de télé à la place du pare-brise. C'était effectivement *génial.*

Charlie s'est emparé d'un ballon de basket, l'a fait rebondir deux ou trois fois et a tiré. Le ballon est entré tout droit dans le panier. Charlie a poussé un cri triomphal avant de s'installer derrière le volant d'une voiture sport. Il a mis le contact, le pare-brise s'est allumé et il a commencé à rouler. La route fonçait vers lui, mais Charlie, peu importe les obstacles qui se dressaient devant, les évitait sans s'envoler dans le décor. Les points s'accumulaient bruyamment.

En me promenant dans la pièce, je suis tombée sur Cornelius, affublé d'un tablier rouge et blanc, qui se tenait derrière une machine à pop-corn. Il en a rempli un énorme sac et l'a arrosé de beurre fondu.

Soudain, un froid glacial est descendu sur la pièce.

Une voix a chuchoté à mon oreille :

— O-b-l-i-g-e-l-e à t-e r-a-c-o-n-t-e-r.

Je me suis vivement retournée.

Personne.

Daniel est arrivé avec la pizza et s'est avancé vers Charlie. Sans même un regard, celui-ci a pris une pointe d'une main et continué à conduire de l'autre.

J'avais si peur que j'étais toute tremblante. Voyant mon désespoir, Daniel, d'une voix douce, a dit :

— Remonte, Lacey.

Au premier étage, il m'a demandé d'attendre. Une minute plus tard, il était de retour avec une photo dans un cadre argenté. Il m'a fait signe de le suivre et nous sommes sortis par la porte de devant.

Il ne neigeait plus.

Daniel s'est assis sur une marche et, à son invitation, je l'ai imité.

— Certaines personnes résistent à l'hypnose, a-t-il dit. Tu es du nombre, Lacey.

— Tu as essayé de m'*hypnotiser* ?

— En vain. Je répète que certaines p…

— Mais pourquoi tenter une chose pareille ?

— Pour te mettre à l'abri.

— De quoi ?

— De la vérité.

— Laquelle ? Tu parles de la bouteille ?

Il a longuement soutenu mon regard.

— Oui. Ton frère pense que tu es devenue folle, mais c'est lui qui risque de perdre la raison. Je l'ai hypnotisé pour qu'il reste calme jusqu'au dernier moment.

— Il a bel et bien été maudit, n'est-ce pas ?

Daniel a lentement hoché la tête.

6

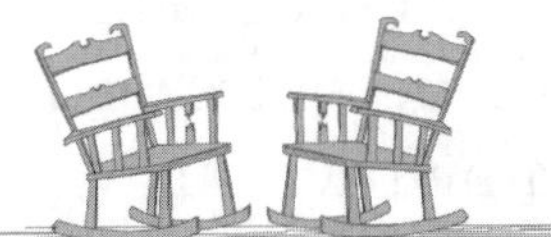

J'avais l'impression d'avoir reçu un direct à l'estomac.

— Explique-moi.

Daniel a secoué la tête.

— Mieux vaut que tu attendes avec Charlie.

— Quoi donc ?

— Le coup de minuit. Trois petites tapes dans les mains et il sortira de son état hypnotique. Je vous dirai alors de quoi il s'agit.

— Pourquoi pas maintenant ?

— Si je lui parle là, tout de suite, il va perdre la boule. Mais si je lui explique de quoi il retourne juste avant l'heure fatidique, il sera trop occupé… à tenter de survivre.

J'ai écarquillé les yeux.

— Je veux savoir.

— Pas encore.

— J'insiste.

— Tu es sûre, Lacey ?

Malgré ma peur, je n'avais pas le choix. J'ai hoché la tête. Daniel a retourné la photo.

— C'est un portrait de votre arrière-arrière-grand-oncle Jonathan le jour de ses vingt-cinq ans.

Il m'a tendu l'objet.

— Et la superbe femme à ses côtés s'appelle Catherine Manridge.

L'image était craquelée et jaunie. Oncle Jonathan souriait, mais Catherine avait le regard absent.

— Votre oncle est tombé follement amoureux de Catherine, mais, hélas, celle-ci avait jeté son dévolu sur le meilleur ami de Jonathan, Robert Collins. Votre oncle a été pris d'une jalousie dévorante. Lorsque Robert a demandé à Catherine de l'épouser, votre oncle a élaboré un plan pour empêcher leur mariage.

— Comment ?

— Apothicaire de son état, Robert préparait des potions pour aider les malades à guérir. Elles donnaient de bons résultats, la plupart du temps. Un beau jour, cependant, une jeune fille est morte après avoir avalé le remède contre les vertiges que Robert lui avait concocté. Le père de la victime a accusé l'apothicaire et tout le monde l'a cru coupable.

— Seulement parce que le père l'avait incriminé ?

Daniel a fait signe que non.

— À cause de Jonathan. Il a dit à la police qu'il avait vu Robert mettre de la mandragore dans le médicament.

— De la mandragore ?

— Une racine vénéneuse, a répondu Daniel en se penchant vers moi. Robert a été arrêté, déclaré coupable et condamné à la pendaison.

— Quelle horreur !

— Attends, je n'ai pas fini. Pendant qu'il était en prison, Robert a demandé à voir Jonathan. Ce dernier, cependant, était trop lâche. En trois longs mois, il n'a pas rendu une seule fois visite à son ami. Enfin, par une journée neigeuse de mars, Robert est monté sur l'échafaud. Depuis la plateforme, il a aperçu Jonathan, qui avait la tête baissée. « Regarde-moi », lui a ordonné Robert. Votre oncle en a été incapable.

Comment regarder en face l'ami qu'on a vendu ? Pendant qu'on lui passait la corde au cou, Robert a clamé son innocence, mais personne ne l'a cru. Robert connaissait la vérité. Il savait que votre oncle l'avait trahi et, pour cette raison, il le haïssait. Sa haine était si grande, a ajouté Daniel en fixant le lointain, qu'au moment où le nœud coulant se resserrait, il a jeté un sort à Jonathan.

— La malédiction de minuit ?

— « *Chaque soir de ta vie, jusqu'au moment où tu trouveras le courage de m'affronter, tu dormiras dans l'eau, sans quoi ton corps se ratatinera et tu mourras.* »

— Il avait de l'imagination !

— C'est ce qu'on appelle un sortilège de torture. Ça signifie qu'il se poursuit éternellement. Robert souhaitait se venger. Ainsi, il était sûr que Jonathan n'épouserait jamais Catherine *et* qu'il souffrirait jusqu'à la fin de ses jours.

Je n'en croyais pas mes oreilles.

— Puis Robert a ajouté : « Si tu meurs *avant* de m'avoir fait face, la malédiction sera transmise au prochain héritier mâle de ta famille. »

— *Charlie ?*

— En réalité, ton arrière-grand-père, ton grand-père et ton père étaient les suivants. Mais ils sont morts tous les trois.

— Aucun autre garçon n'est né pendant toutes ces années ?

— Non. Seulement des filles. Jusqu'à ce que ta mère donne naissance à Charlie. Si tu veux, je peux te montrer votre arbre généalogique.

— Attends. Ton histoire ne tient pas debout. Comment Jonathan aurait-il pu faire face à Robert si celui-ci a été pendu ?

— Ce jour-là, le corps de Robert est mort, a expliqué Daniel, mais son esprit s'est attaché à celui de votre oncle et est rentré avec lui. Chaque fois que Jonathan se déplaçait, le fantôme l'accompagnait. Il vit au manoir de Blaxston depuis des années.

— *Ici ?*

Daniel a hoché la tête.

— Dans le grenier.

Ses yeux se sont assombris.

— Avec chaque année qui passe, la colère de l'esprit de Robert grandit.

— Pourquoi oncle Jonathan n'est-il pas monté lui présenter ses excuses ? Ce serait fini une bonne fois pour toutes !

— Il a essayé, Lacey. Mais la peur a toujours eu le dessus sur lui. La dernière fois, il a tout de même trouvé le courage de se rendre jusqu'au grenier.

Ma gorge s'est nouée.

— Et ?

— Il a fait un infarctus.

— Et… il en est mort ?

Daniel m'a tendu la photo, puis il s'est levé lentement. Il s'est dirigé vers la chaise la plus proche, s'est assis et a commencé à se bercer. L'autre chaise s'est mise à se balancer et la silhouette spectrale d'un garçon est apparue.

Mon cœur battait à se rompre.

— C'est ainsi que nous avons tous rendu l'âme, a dit Daniel en regardant devant lui.

Puis ils se sont évanouis, le garçon et lui.

7

J'ai crié comme une folle, puis je suis rentrée dans la maison, j'ai claqué la porte et je l'ai verrouillée. J'ai couru au sous-sol. Lorsque j'ai attrapé Charlie, ses mains ont quitté le volant et la voiture qu'il pilotait a eu un accident.

— Ah, misère de misère…

— Viens ! ai-je crié.

— J'avais quatre-vingt-cinq mille points !

J'ai jeté un coup d'œil à l'escalier.

— Il faut qu'on sorte d'ici !

— Pourquoi ?

— Je t'expliquerai plus tard.

Il s'est dégagé.

— Je veux savoir tout de suite.

Je l'ai arraché de son siège et l'ai propulsé vers les marches. En haut, j'ai sorti la tête. Aucune trace de Daniel. Tant mieux.

— Dis-moi ce qui ne va pas, a gémi Charlie.

— Il faut partir.

— Mais je m'amuse bien ici.

— Si on reste, tu vas le regretter.

— Qu'est-ce que tu me chantes là ?

Il a commencé à redescendre. Je l'ai saisi par la manche.

— Lacey !

Je l'ai poussé et l'ai obligé à marcher devant moi dans le couloir. Puis j'ai pris nos manteaux dans l'armoire en bois et j'ai lancé le sien à Charlie.

— Où est maman ? On ne peut pas s'en aller sans elle.

— Elle est déjà partie, ai-je menti.

— Impossible. Pas sans nous.

— La lecture du testament a lieu au village. Dans un bureau.

Charlie a secoué la tête.

— Maman n'aurait jamais fait une chose pareille sans nous en parler.

— Elle m'a prévenue, moi.

— Quand ça ?

J'ai dû faire preuve de vivacité d'esprit.

— Quand tu étais aux toilettes. Les fèves… Tu te rappelles ?

Cornelius s'est approché.

— Il y a un problème ?

— Maman est vraiment partie ? a lancé Charlie.

Cornelius nous a regardés tour à tour.

— On l'a conduite au bureau de l'avocate pour la lecture du testament de M. Darcy.

Pourquoi confirmait-il ma version ?

— Et vous croyez qu'ils ont terminé ?

Je me demandais s'il allait continuer de jouer le jeu.

— On vient de m'informer qu'ils s'apprêtent à partir. J'ai reçu comme directive de vous y emmener. Ce n'est pas loin.

— Bien.

— On ne peut pas rester encore un peu, Lacey ?

— Non ! En route.

— Mais je m'amuse beaucoup ici.

Pourquoi se montrait-il aussi têtu ? Puis je me suis rappelé qu'il avait été hypnotisé.

— Tu n'as pas envie de savoir combien oncle Jonathan nous a laissé ?

Les yeux de Charlie se sont mis à briller.

— Ah ! oui. L'argent !

— Je vais chercher la voiture, a annoncé Cornelius.

— On vous accompagne.

Il n'était pas question que je sorte par la porte de devant avec les deux spectres qui se berçaient sur le perron.

— Bien sûr, a dit Cornelius.

Charlie et moi l'avons suivi jusqu'au fond du manoir. Dehors, mon frère a frissonné.

— Brrr… Qu'est-ce qu'il fait froid, a-t-il dit en boutonnant son manteau.

Une voiture ancienne, comme on en voit dans les films de gangsters en noir et blanc, était garée près de la porte.

J'ai bondi sur la banquette arrière.

— Allez, viens, Charlie.

Il s'est glissé à côté de moi.

— Qu'est-ce qui presse tant ?

Cornelius a mis le moteur en marche et allumé les phares. Dans l'obscurité, ils ont éclairé la balançoire accrochée à la branche de l'arbre. Il n'y avait pas de vent, mais elle oscillait quand même.

J'ai attendu que Cornelius démarre. Il a plutôt commencé à farfouiller dans la boîte à gants. Que fabriquait-il ? Pourquoi restait-il là ?

Mon cœur battait fort, mais, le plus calmement possible, j'ai demandé :

— Euh… Qu'est-ce qui ne va pas, Cornelius ?

— J'ai bien peur d'avoir égaré mes lunettes. Je ne peux pas conduire sans elles.

Il s'est lentement tourné vers nous.

— Un moment, je vous prie.

Il est rentré dans la maison.

— Mon *écharpe*, a dit Charlie. Je l'ai oubliée, elle aussi.

Il a tendu la main vers la poignée. Je l'ai retenu.

— Tu la récupéreras la prochaine fois.

— On gèle !

Il a esquissé un nouveau geste. J'ai tiré plus fort sur son bras.

— Non, Charlie. *S'il te plaît.*

— Pourquoi pas ? Pourquoi es-tu si bizarre, tout d'un coup ?

— Je ne peux pas t'expliquer maintenant ! Fais-moi confiance ! *D'accord ?*

— Bon, bon. Pfft…

Nous avons attendu le retour de Cornelius, mais il ne donnait pas signe de vie.

Quelque chose clochait. Les fantômes l'avaient peut-être attrapé. Peut-être...

À ce moment-là, le majordome est réapparu, ses lunettes sur le nez. J'ai rendu grâce au ciel en silence et poussé un immense soupir de soulagement. Jusqu'à ce que la portière s'ouvre.

— Changement de programme. L'avocate de M. Darcy a téléphoné : votre mère et elle reviennent ici pour un en-cas tardif. Suivez-moi.

Charlie allait obéir, mais je me suis cramponnée aux pans de son manteau.

— Qu'est-ce que tu fais, Lacey ? Lâche-moi !

Cornelius s'est retourné.

— Un problème ?

J'ai souri.

— Non. Absolument pas.

Il m'a rendu mon sourire et est rentré dans la maison.

— Ferme la portière, Charlie. J'ai quelque chose à te dire.

Comprenant enfin que c'était du sérieux, il a obéi.

J'ai tapé trois fois dans mes mains.

8

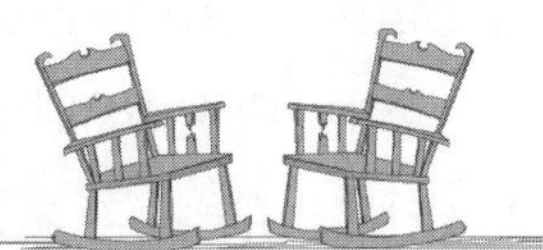

— Maudit ? a crié Charlie. Qu'est-ce qu'il voulait dire, Lacey ?

En se rendant compte qu'il était dans une voiture, il a hurlé encore plus fort.

— *Qu'est-ce qu'on fait ici ?*

Il a examiné ses mains.

— *Où est la bouteille ?*

— Aucune importance.

Charlie paniquait.

— *QU'EST-CE QUI VA M'ARRIVER ?*

Je l'ai agrippé.

— Rien. Je ne le permettrai pas. *Promis.*

Il m'a repoussée.

— Comme si tu allais y changer quelque chose, *toi* ! Tu n'y peux rien du tout ! *C'est moi qui suis maudit !*

— Du calme, Charlie ! *Je t'en supplie.*

Daniel avait raison. J'aurais dû attendre

la dernière minute pour tout lui révéler.

Au même instant, j'ai remarqué les clés. Cornelius avait oublié de les prendre !

J'ai tiré Charlie de la banquette arrière, puis j'ai ouvert la portière du conducteur et j'ai lancé mon frère à l'intérieur.

— Quoi encore ?

— Vas-y !

J'ai contourné la voiture et pris place à côté de lui.

— Mais je ne sais pas conduire !

— Dans la salle de jeu, tu te débrouillais très bien. Quatre-vingt-cinq mille points ! Tu es un *as* du volant.

— As-tu perdu la tête, Lacey ?

— Mets la voiture en marche, Charlie. *Démarre*.

— Je ne peux pas !

J'ai serré son visage entre mes mains et je l'ai obligé à me regarder.

— Écoute-moi bien. Ce n'est pas une plaisanterie. Il *faut* que tu nous sortes d'ici. Il n'y a que toi qui en sois capable. En route ! S'il te plaît, Charlie. Fonce !

Un changement s'est opéré en lui, comme

s'il venait de prendre conscience de la gravité de la situation. Il a remonté ses lunettes, actionné le levier de vitesse et appuyé sur l'accélérateur. Nous avons décollé. Puis il a freiné en s'aidant des deux pieds.

— Vas-y mollo, Charlie !

Quelqu'un a cogné sèchement contre la vitre et nous avons sursauté.

Cornelius a ouvert la portière. Je l'ai aussitôt refermée avec fracas en criant :

— ROULE, CHARLIE !

Il a appuyé sur la pédale et nous sommes partis en trombe. Il était si effrayé qu'il a quitté la route et a mis le cap sur un bosquet.

— Attention !

Charlie a donné un coup de volant. La voiture a frôlé un tronc et des morceaux d'écorce ont volé un peu partout. Ensuite, nous avons défoncé une clôture en bois et cahoté follement dans un jardin desséché.

Charlie a tourné une fois de plus et nous avons décrit un grand cercle.

Daniel était planté devant nous ! Charlie a hurlé en passant à travers lui.

— *D'où est-ce qu'il est sorti, celui-là ?*

— Ne t'arrête pas !

— Est-ce que je l'ai tué ?

— Non ! Continue !

Cornelius agitait les bras en criant :

— Arrêtez ! Arrêtez !

Nous avons accéléré.

Charlie a contourné le manoir et a foncé dans l'allée. En arrivant sur la route, il n'a même pas ralenti. Il a seulement braqué à fond et filé vers le pont. À notre passage, les planches ont produit un bruit sourd.

Charlie regardait droit devant lui. La voiture oscillait beaucoup, mais elle restait sur la route. Loin de la maison, il s'est rangé sur l'accotement et la voiture s'est arrêtée avec une forte secousse.

Nous n'avons rien dit pendant un long moment.

— Je suis désolée, Charlie. C'est ma faute. Si je…

— La malédiction… Qu'est-ce… que… c'est ?

— Il vaut mieux attendre un peu.

Lentement, il s'est tourné vers moi.

— C'est… quoi ?

J'ai secoué la tête.

— Tu risques de trop t'en faire…

— Dis-moi.

Je savais qu'il ne lâcherait plus le morceau. La gorge serrée, j'ai expliqué :

— Tu… tu vas devoir dormir dans l'eau. Chaque soir de ta vie. Sinon, tu vas te ratatiner et mourir.

Charlie a écarquillé les yeux.

— PARDON ?

— Je suis navrée. Sincèrement. C'est une malédiction dont Jonathan a été frappé il y a très longtemps. Il a trahi son meilleur ami, tu vois. Avant de mourir, celui-ci a jeté un sort à notre oncle et s'est arrangé pour qu'il souffre jusqu'à la fin de ses jours.

Mon petit doigt m'a dit qu'il valait mieux ne pas parler à Charlie du grenier et d'un éventuel affrontement avec l'esprit. Il avait déjà assez la trouille.

— Oncle Jonathan est *mort* ! a-t-il hurlé.

— Oui, mais… ce n'est pas tout.

— Ah, misère de misère…

— À la mort de notre oncle, la malédiction a été transmise au prochain héritier mâle de la famille.

— Moi ? Je suis le suivant ?

— Désolée.

— Arrête d'être désolée !

J'ai touché le bras de Charlie. Il l'a retiré.

— C'est insensé. Qui mettrait un sortilège dans une bouteille ? *Pourquoi ?*

— Pour que tu comprennes ce qui se passe, a dit une voix derrière nous.

Daniel était assis sur la banquette arrière.

9

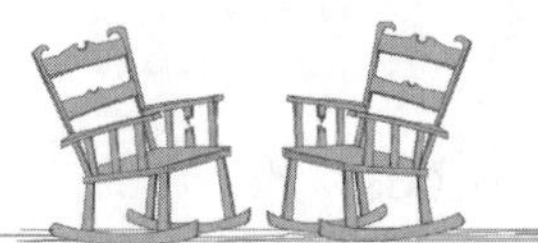

Charlie avait les yeux affolés.

— C'est lui ! Le garçon que j'ai frappé !

Daniel a haussé les épaules.

— Je n'ai rien senti.

— Comment es-tu entré ici ? ai-je crié.

— Lorsque Charlie m'est passé sur le corps, je suis resté dans la voiture.

— Va-t'en, s'il te plaît, a supplié Charlie.

— J'ai bien peur que ce soit impossible.

Charlie tremblait comme une feuille.

— Qui es-t-t-tu ?

— Un garçon.

— T-t-tu es un fantôme.

— Ça aussi. Indubitablement.

Charlie gémissait.

— En fait, nous sommes deux.

— Deux fantômes ?

Les yeux de Charlie ont roulé dans leurs

orbites et il est tombé dans les pommes.

— Nous sommes coincés dans le manoir, Matty et moi, a poursuivi Daniel, comme si de rien n'était.

J'ai giflé Charlie.

— Comment ça, « coincés » ?

— Lorsque nous nous sommes introduits par effraction dans le manoir, nous sommes morts de façon si brutale que nos esprits ont subi un choc émotif. Et maintenant nous sommes pris au piège. Impossible de réintégrer notre ancienne existence ni d'aller de l'avant.

— Pourquoi êtes-vous entrés dans la maison ?

— Pour mettre la main sur le trésor.

Charlie est aussitôt revenu à lui.

— *Hein ? Quoi ?*

— Bon retour parmi nous, a dit Daniel en souriant.

— Quel trésor ?

Charlie semblait intéressé.

— Depuis des années, tout le monde parlait du manoir de Blaxston. On racontait des histoires au sujet de la fortune cachée dans le grenier. On disait que M. Darcy montait la garde et ne sortait jamais le soir. Seuls au monde, Matty et moi cherchions de quoi nous nourrir à gauche et à droite. Et M. Darcy avait des millions pour lui tout seul. Cette situation nous semblait injuste. Alors, un beau matin, nous avons attendu qu'ils sortent, Cornelius et lui, et nous sommes entrés.

Charlie a remonté ses lunettes sur son nez.

— Vous avez trouvé quelque chose ?

— Non, a répondu Daniel. En entrant dans le grenier, nous sommes morts de frayeur, Matty et moi.

— Qu'est-ce que vous avez vu ? avons-nous demandé à l'unisson.

— Rien.

J'ai froncé les sourcils.

— Comment ça ? On peut mourir de rien ?

— On se moque de ce qu'ils ont vu, a gémi Charlie. Il faut s'occuper de la malédiction.

— Tu as raison, Charlie, a confirmé Daniel. Et je vais t'aider.

— *Comment ?* Hein ? Dis-moi.

— Il suffit de lever le sortilège. Ensuite, l'esprit malin disparaîtra.

La voix et les sourcils de Charlie sont montés d'un coup.

— *Quel esprit malin ?*

Daniel a tapé trois fois dans ses mains et Charlie s'est figé.

— Tu oublieras la mention de l'esprit.

Daniel s'est tourné vers moi.

— Tu ne l'avais pas mis au courant ?

— Il avait déjà trop peur.

— Sage décision.

Charlie regardait droit devant lui, tel un zombie.

— Matty et moi souhaitons vivre en paix au manoir, a déclaré Daniel. Nous y sommes bien. Cornelius et Jonathan nous ont tout donné : des jouets, des jeux, la salle que vous avez vue et toute la nourriture que nous voulons.

— Les fantômes ne mangent pas.

— C'est ce que je croyais, moi aussi. Mais pour une raison que j'ignore, nous en sommes capables. Tout ce que cuisine Cornelius est délicieux. Il prépare ce dont nous avons envie. La belle vie, quoi.

Il s'est légèrement voûté.

— Sauf pour l'esprit malin.

— Chuuut !

— Charlie ne nous entend pas, Lacey.

— Tu es sûr ?

— Certain.

Je me suis un peu détendue.

— Je croyais qu'il fallait affronter l'esprit pour se débarrasser de la malédiction.

— Robert le pensait lui aussi. Seulement, je suis persuadé qu'il y a d'autres moyens. J'ai lu pas mal de choses au sujet de la suppression des sortilèges et autres trucs du genre.

Quels autres trucs ? En tout cas, Daniel n'avait rien d'un garçon normal.

— Le plus simple, ce ne serait pas que Charlie se mesure au spectre ?

— Bien sûr. Mais s'il entre dans le grenier, il risque de mourir de peur, comme nous. Alors nous serons aux prises avec l'esprit de Robert jusqu'au prochain mâle de la lignée des Darcy.

Daniel a tapé trois fois dans ses mains pour sortir Charlie de sa transe.

— J'ai l'intention de t'aider à te libérer de la malédiction, Charlie.

— Vraiment ?

— Oui. Mais avant tout, il nous faut un médium.

Charlie avait l'air perplexe.

— Un quoi ?

— Une sorte de diseur de bonne aventure, en plus puissant.

— Et où est-ce qu'on va trouver ça ? ai-je demandé.

— Ici même. Mme Rothbottom est douée. Bizarre, mais compétente. À mon époque, elle a secouru de nombreux malheureux.

Daniel s'est tourné vers Charlie.

— Conduis-nous à Willow Lane.

Charlie a démarré. Comme il faisait noir, personne ne se rendrait compte qu'un enfant tenait le volant.

— Le village est à droite, a annoncé Daniel peu après.

Charlie a ralenti et je me suis penchée pour mieux voir.

— Là, ai-je confirmé en montrant du doigt. Juste après la clôture.

— Si ma mémoire est bonne, a dit Daniel, Mme Rothbottom habite la deuxième maison sur la gauche.

Charlie lui a jeté un coup d'œil par-dessus son épaule.

— Tu crois vraiment qu'elle peut nous aider ?

— Évidemment.

Daniel semblait convaincu. Moi, je ne l'étais pas autant.

Moins d'une minute plus tard, nous nous sommes immobilisés devant la résidence. Charlie a coupé le moteur.

— Bonne chance, a lancé Daniel.

— Tu n'entres pas avec nous ?

Il a secoué la tête.

— Impossible.

— Pourquoi ? a demandé Charlie sur un ton désespéré.

— Mon énergie est liée au manoir, aux terrains avoisinants et à tout ce qui s'y rattache, y compris cette auto. Je ne peux pas en sortir.

La maison se trouvait assez loin de la route. Une lampe fixée au-dessus de la porte éclairait les marches, mais toutes les fenêtres étaient sombres.

— J'ai l'impression qu'elle n'est pas chez elle.

— Excellent, a dit Charlie en redémarrant le moteur.

La clé a tourné toute seule, le moteur s'est arrêté et les portières se sont ouvertes.

— Il y a une seule façon de s'en assurer.

— Ah, misère de misère…

Nous sommes sortis de la voiture, Charlie et moi, puis nous nous sommes lentement engagés dans l'allée recouverte de dalles. Je me suis tournée vers Daniel, qui m'a gratifiée d'un mince sourire.

Plus nous approchions de la maison, plus nous étions nerveux. Soudain, un cri perçant a déchiré l'air.

Charlie a hurlé à la vue de deux chats noirs qui ont surgi des broussailles, couru devant nous et disparu derrière la maison.

— Ça va, ça va.

Mon cœur battait.

— C'étaient seulement des chats.

— Des chats noirs, au cas où tu ne l'aurais pas remarqué, a hurlé Charlie. Les deux ! Un duo ! Double malchance !

— Un chat est un chat. La couleur est sans importance.

— C'est un signe. Allons-nous-en d'ici.

Il a fait mine de rebrousser chemin.

J'ai couru jusqu'à lui, l'ai obligé à se retourner. Il m'a repoussée d'une claque.

— Laisse-moi tranquille, Lacey ! Je veux rentrer à l'hôtel !

— Pas maintenant !

— Pourquoi pas ? Qu'est-ce qui nous en empêche ? Si elle ne nous trouve pas au manoir, maman ira là-bas. C'est sûr. Elle nous attend probablement déjà.

— Non !

— Qu'est-ce que tu en sais ?

Il fallait que je le lui dise.

— Charlie… Maman n'a jamais quitté le manoir.

— Qu'est-ce que tu racontes ?

— J'ai menti pour te forcer à me suivre.

— Mais Cornelius a…

— Il a menti, lui aussi.

— Mais pourquoi ? *Pourquoi ?*

— Je l'ignore. Il mijote quelque chose. Je le sens…

— … dans tes os ?

J'ai souri.

— Oui.

— Les os ne mentent jamais, Lacey.

Le klaxon de la voiture a retenti et nous avons levé les yeux. Daniel nous faisait signe de continuer à avancer.

À ce moment, j'ai eu une certitude: nous allions franchir le point de non-retour.

— Écoute, Charlie. Mme Rothbottom va peut-être t'aider. Puisque nous sommes là, autant en avoir le cœur net.

Malgré sa terreur, Charlie a opiné du bonnet. Puis il a glissé sa main dans la mienne. C'était la première fois depuis très longtemps. Ensemble, nous nous sommes dirigés vers la maison.

10

Nous nous trouvions face à une porte en bois vert foncé, Charlie et moi. Au moment où j'allais frapper, elle s'ouvrit. Nous en avons eu le souffle coupé.

Une femme de haute taille, aux yeux bleus et aux cheveux sombres et crêpelés, se dressait devant nous. D'un œil averti, elle a promené son regard de lui à moi.

— Les malédictions, a-t-elle lancé en secouant la tête. Sale affaire.

— Comment avez-vous deviné ? s'est exclamé Charlie.

— Entrez donc. Il fait froid.

Au moment où nous franchissions le seuil, j'ai remarqué, accroché au mur, un petit écriteau à la calligraphie recherchée :

Charme d'argent 30 £
Charme d'amour 55 £
Charme de bonne santé 45 £
Élimination de mauvais sort 35 £
Suppression de malédiction 40 £

Mme Rothbottom nous a conduits dans le salon, puis elle nous a indiqué le canapé installé devant le foyer. Pendant que les flammes craquaient bruyamment, je lui ai parlé de l'amour qu'oncle Jonathan portait à Catherine Manridge.

— Une Catherine Manridge a habité au village. Mais c'était il y a longtemps. Ce n'est pas un nom de famille courant.

Je lui ai expliqué que Robert avait été pendu à cause d'un mensonge d'oncle Jonathan, qu'il avait maudit celui-ci et que le sort avait été transmis à Charlie. Après mon récit, Mme Rothbottom s'est tournée vers Charlie.

— Hmm. Je me demande si tu es vraiment maudit.

Charlie était bouche bée.

— Vous voulez dire que… je ne le suis peut-être pas ?

— C'est une possibilité. Beaucoup de gens utilisent le pouvoir de leur psyché contre leurs ennemis. Souvent, une personne qui se croit victime d'un sortilège s'attire d'elle-même de graves ennuis.

Elle s'est levée, a lissé sa jupe.

— Je dois déterminer ce qu'il en est.

— Comment ?

— Suivez-moi.

Mme Rothbottom nous a entraînés dans la cuisine, puis nous avons descendu une volée de vieilles marches branlantes.

Au sous-sol, elle a allumé une ampoule nue accrochée au plafond. La pièce, dépourvue de fenêtres, n'avait, pour tout ameublement, qu'une table et une chaise poussées dans un coin et, au centre, un fauteuil noir entouré de chandelles.

Mme Rothbottom a ordonné à Charlie de franchir le cercle et de s'asseoir.

— Vas-y, ai-je murmuré.

Mme Rothbottom m'a fait signe de m'installer à la table et de rester silencieuse. Ensuite, elle a éteint.

Nous avons été plongés dans l'obscurité.

— Ferme les yeux, Charlie, a dit Mme Rothbottom. Prends de grandes inspirations et laisse l'air s'échapper très lentement. Sept fois, je te prie.

Pendant que mon frère s'exécutait, Mme Rothbottom a gratté une allumette et a allumé un bâton long et délicat au moyen duquel elle a enflammé la première mèche.

D'une voix douce, elle a entonné :

— Imagine que tu es entouré de lumière blanche.

Elle est passée à la chandelle suivante.

— À chacune de tes respirations, tu sens tes soucis s'envoler.

Elle a poursuivi le tour du cercle.

— Détends-toi, Charlie. Là. Très bien.

Après avoir allumé toutes les chandelles, elle a déposé le bâton dans un petit flacon. J'ai entendu un sifflement et j'ai vu s'élever une colonne de fumée.

Elle a incliné le bâton vers le mur, puis elle s'est dirigée vers une armoire que je n'avais pas remarquée.

Mme Rothbottom l'a ouverte et j'ai vu un miroir en forme de losange. Elle l'a pris et l'a brandi devant elle, la surface réfléchissante tournée vers l'extérieur. Elle a fait trois fois le tour des chandelles avant d'accrocher la glace en face de Charlie.

— Ouvre lentement les yeux, a-t-elle dit.

Charlie a obéi.

— Je vais te demander de cligner des yeux à cent reprises, a-t-elle ajouté. Si une malédiction pèse effectivement sur toi, tu auras une vision à la centième. Sinon, le miroir reflétera seulement ton image.

Charlie regardait droit devant.

— Tu peux y aller.

Mon frère s'est mis au travail. Dans ma tête, je comptais les clignements. Le temps m'a semblé s'étirer, mais Charlie est enfin parvenu à quatre-vingt-dix. À ce moment-là, j'ai commencé à prier vraiment très fort pour que tout se passe bien.

Quatre-vingt-treize... Quatre-vingt-quatorze... Quatre-vingt-quinze... Quatre-vingt-seize... Quatre-vingt-dix-sept... Quatre-vingt-dix-huit... Quatre-vingt-dix-neuf...

Une buée blanche est apparue à la surface du miroir. Mon estomac s'est noué. Lorsque l'image s'est précisée, nous avons vu Charlie flotter sur le dos dans une mare, les bras en croix.

— Tu es maudit, a déclaré Mme Rothbottom.

11

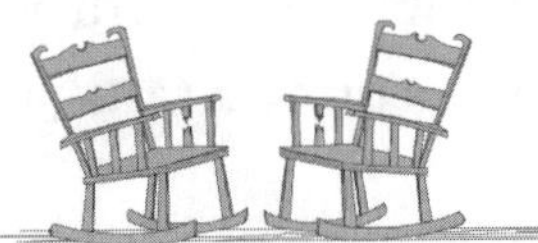

Charlie a éclaté en sanglots.

— Arrête, a ordonné Mme Rothbottom sur un ton sans appel.

Il a continué de plus belle.

— Pleurer ne te servira à rien. Cesse immédiatement.

— *Je ne peux pas !*

— Tu es terrorisé et seul un imbécile ne le serait pas. Seulement, toutes les larmes du monde ne te sortiront pas du pétrin.

Mme Rothbottom s'est emparée du bâton et a fixé un objet au bout. Puis elle s'en est servie pour éteindre les chandelles. La pièce a de nouveau été plongée dans le noir.

— Lacey ? a demandé Charlie d'une voix tremblante.

Je me suis aussitôt relevée.

— Je suis là, Charlie.

L'ampoule s'est rallumée. Je me suis tournée vers Mme Rothbottom.

— Qu'est-ce qu'on fait, maintenant ?

— On neutralise le sortilège, évidemment.

Pivotant sur ses talons, elle s'est engagée dans l'escalier.

— C'est l'heure du thé.

Je me suis avancée vers Charlie et je l'ai tiré par la manche.

— Viens.

— Mais je n'aime pas ça, moi, le thé.

Je l'ai tapé.

Devant la cuisinière, Mme Rothbottom lançait des choses dans un bol en marmonnant entre ses dents :

— Du vétiver, du galanga, de la gaultérie, une pincée de sel, un soupçon de poivre…

Elle a enfoncé sa main dans un pot brun.

— … et huit plumes de poule.

Charlie m'a regardée, les yeux exorbités.

— Des *quoi* ?

Après avoir ajouté ce drôle d'ingrédient, Mme Rothbottom a versé un liquide jaune sur le tout.

Soudain, le feu de la cuisinière s'est allumé. À ma connaissance, Mme Rothbottom n'y avait pas touché. Elle a pris une théière en métal sur une tablette, y a versé le mélange et l'a déposée sur le feu.

— À présent, a-t-elle annoncé en se tournant vers Charlie, il faut procéder à une purification.

— *Une purification ?*

— Oui.

— Ça va faire mal ?

Elle a souri.

— Absolument pas.

Avec ses grands yeux et ses dents de travers, elle avait l'air cinglée.

— Tout le monde dehors, a-t-elle dit.

En route vers la porte, j'ai demandé :

— Pourquoi dehors ?

— Ce genre de rituel est plus efficace lorsque la lune est pleine. Et, cette nuit, elle l'est, aucun doute possible.

Elle a posé la main sur l'épaule de Charlie.

— Te rends-tu compte de la chance que tu as ?

— Moi ? Je suis *maudit*, au cas où vous auriez oublié.

— Il y a des destins bien pires que celui-là.

— Ah bon ? Nommez-en un, pour voir.

— Tu aurais pu être la femme de *monsieur* Rothbottom, paix à son âme…

Elle a ri avant de saisir deux grosses chandelles blanches.

Tandis que nous la suivions, Charlie a chuchoté :

— Tu crois qu'elle sait ce qu'elle fait ?

— Bien sûr que oui.

Comme Daniel, j'essayais de me montrer convaincue.

Pendant que nous nous frayions un chemin dans la cour enneigée, j'ai pensé à Daniel et je me suis demandé s'il s'était lassé de nous attendre. J'ai ensuite songé que les fantômes ignoraient probablement l'ennui.

La lune était énorme.

Mme Rothbottom s'est immobilisée sous un arbre haut et grêle auquel s'accrochaient encore des milliers de feuilles séchées. Toutes les branches étaient tournées vers le haut. On aurait dit qu'elles priaient.

De chaque côté de l'arbre, elle a mis une chandelle fichée dans un bougeoir en fer. Ensuite, elle a allumé les mèches.

— Approche, mon lapin, a-t-elle ordonné, et place-toi face au tronc.

Dehors, sa voix semblait différente. Plus douce, plus aimable.

Charlie est venu près d'elle.

— Qu'est-ce que vous allez faire ?

— Reste tranquille.

— D'accord.

Mme Rothbottom s'est tournée vers moi.

— Rentre, Lacey, et vérifie le thé. Si l'eau bout, éteins le feu et apporte-moi la théière. Surtout, attention de ne pas te brûler.

J'ai rebroussé chemin en piétinant la neige.

De la vapeur s'échappait du récipient. Aucun doute possible sur l'ébullition.

J'ai saisi la poignée.

— OUILLE !

La main me cuisait. J'ai couru à l'évier, tourné le robinet et mis mes doigts sous le jet d'eau. Comment avais-je pu être aussi bête ?

Mme Rothbottom m'avait pourtant prévenue. J'ai attendu en trépignant, mais l'eau n'était pas très froide.

« Des glaçons ! » ai-je songé. En plein ce qu'il me fallait.

J'ai foncé vers le réfrigérateur et l'ai ouvert.

Une tête me fixait.

12

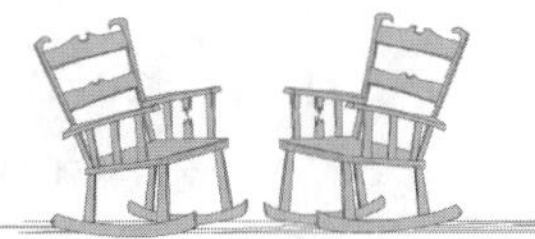

J'ai hurlé comme une possédée.

Une seconde plus tard, Charlie a fait irruption dans la pièce. Puis il a vu la tête à son tour et s'est mis à crier encore plus fort.

Nous avons détalé dans le couloir et franchi la porte de devant à toute vitesse. Si mes pieds ont touché le sol, je n'en garde aucun souvenir. Nous sommes parvenus à la voiture, j'ignore comment, et Charlie s'est installé au volant. J'ai sauté sur la banquette arrière, où je suis passée *à travers* Daniel. C'était comme casser une surface gelée.

— Qu'est-ce qui se passe ? a-t-il demandé.

— La voilà ! s'est écrié Charlie en mettant le contact.

Mme Rothbottom avançait rapidement.

— *Roule ! Roule !* ai-je crié.

Charlie a appuyé sur l'accélérateur et la voiture a bondi.

— Est-ce qu'elle a supprimé le sortilège ?

La voix de Daniel était impitoyable.

J'ai regardé derrière. Au bord de la route, Mme Rothbottom nous observait.

— Pourquoi garde-t-elle une tête dans son frigo ? a lancé Charlie d'une voix stridente.

Daniel s'est tourné vers moi.

— Une tête ?

— Grise ! *L'horreur !* Cette femme est une sorcière !

Je tremblais.

— Qu'allait-elle faire à Charlie ? Le décapiter, lui aussi ?

— J'ignore pour quelle raison elle aurait une chose pareille dans son réfrigérateur, mais Mme Rothbottom est digne de confiance.

— De ton vivant, peut-être. Mais les choses changent. Les gens aussi.

— Il faut y retourner. Sinon, la malédiction ne sera pas levée !

— Jamais de la vie ! me suis-je exclamée. Il faut prévenir la police.

— Trop tard. Tout est fermé.

— Les postes de police sont toujours ouverts, voyons.

— Pas celui du village. Il faudra attendre demain matin.

Je me suis laissée glisser sur la banquette. Mon cœur ne s'apaisait pas.

— Et d'ailleurs…

— D'ailleurs quoi ? ai-je demandé en me redressant.

— Nous devons immerger Charlie. Il est presque minuit.

J'ai consulté ma montre. Vingt-trois heures trente !

— Nous avons encore le temps, Charlie.

Je m'efforçais de parler d'une voix calme.

— Ne t'inquiète pas. Nous y arriverons.

Charlie regardait droit devant lui.

— Charlie ?

Pas de réponse.

— Laisse-le tranquille, a dit Daniel.

— Qu'est-ce qu'il a ?

— Parfois, l'esprit se ferme au monde extérieur… pour éviter la folie.

— Est-ce qu'il est en mesure de conduire ?

— Disons qu'il est guidé par son instinct.

Charlie n'a pas cillé une seule fois. Les yeux rivés sur la route, il a traversé le village.

Ce n'est que lorsque la voiture a commencé à gravir la côte que j'ai compris où nous allions.

— Nous ne pouvons pas rentrer au manoir !

Daniel a froncé les sourcils.

— Pourquoi ?

— Cornelius ! Voilà pourquoi ! Il s'en est pris à notre mère ! Il nous a menti à son sujet.

— Écoute-moi bien, Lacey. Cornelius adore les gens et prend plaisir à veiller sur eux. Il ne vous fera pas de mal, ni à ta mère, ni à Charlie, ni à toi. Je te le promets.

— Alors pourq…

Daniel m'a coupé la parole.

— Nous devons trouver de l'eau pour Charlie et nous n'avons pas d'autre endroit où aller.

En voyant Charlie, Cornelius a tout de suite compris que quelque chose clochait.

— Qu'est-ce qu'il a ?

— Je crois qu'il est juste effrayé, ai-je dit. Mais je n'en suis pas certaine.

Cornelius a regardé Charlie avec une extrême douceur.

— Je suis là, Charlie, et je vais m'occuper de toi.

Il a passé le bras autour des épaules de mon frère et, doucement, l'a entraîné vers le manoir.

— Ça va aller. Il n'y a rien à craindre. Rien du tout.

Franchement, j'avais mes doutes. Où était maman ? Mme Rothbottom était-elle une sorcière ? Pourquoi Daniel tenait-il tant à ce que le sortilège soit supprimé ?

Bon, les questions devraient attendre. Nous avions jusqu'à minuit pour mettre Charlie dans l'eau.

13

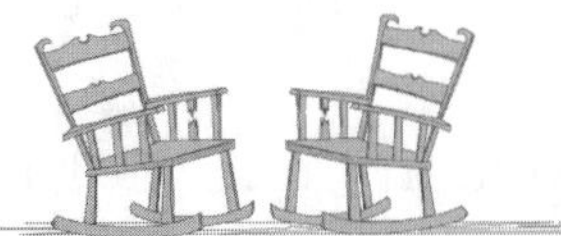

Cornelius a aidé Charlie à grimper l'escalier en colimaçon. À l'étage, il nous a guidés vers la pièce verrouillée.

— Qu'est-ce qu'il y a là-dedans ? ai-je demandé.

— C'était la chambre de M. Darcy. Charlie y sera bien pour dormir.

Il a sorti une clé de sa poche.

— Tout a été prévu.

Prévu ? Je me suis demandé ce qu'il entendait par là.

Cornelius a ouvert et a allumé le plafonnier. Il y avait une commode dans un coin, un foyer sur le manteau duquel se trouvait une horloge dorée, et une multitude de photos sur les murs. Sur chacune, on voyait une femme aux longs cheveux noirs : Catherine Manridge.

On se serait cru dans une chambre à coucher banale, à un détail près: à côté du lit à baldaquin se dressait un cercueil (l'objet, du moins, en avait l'apparence) rempli d'eau claire.

— Est-ce là… là-dedans que dormait oncle Jonathan ?

Cornelius a hoché la tête.

— Toutes les nuits, au cours des soixante-dix dernières années de sa vie.

Il a ôté le veston de Charlie.

— Un thermostat maintient l'eau à la température du corps… C'est douillet et agréable.

Le cercueil avait une doublure blanche et un épais cadre en cuir brun. De part et d'autre, il était orné d'un ange doré.

Pendant que Cornelius déshabillait Charlie, j'ai remarqué que le jean de mon frère était trempé. Il s'était peut-être mouillé sous l'effet de la peur. J'en ai été gênée pour lui. Cornelius, cependant, a tiré le pantalon vers le bas et, après avoir sorti un petit flacon du premier tiroir de la commode, me l'a tendu.

— Mets un peu de ce liquide dans l'eau et mélange bien.

— Qu'est-ce que c'est ?

— Une lotion qui aide le corps à préserver ses huiles naturelles.

J'ai tiré le bouchon et versé une petite quantité du produit dans cette drôle de baignoire. J'ai remué et la pièce tout entière a été envahie par un parfum de fleur. J'ai fermé les yeux et respiré à fond. Merveilleux.

L'horloge a commencé à sonner.

Il était minuit.

— Il faut entrer dans l'eau, Charlie, a dit Cornelius d'une voix douce.

Il a retiré les lunettes de mon frère et l'a entraîné vers le cercueil.

Charlie s'est allongé. L'eau recouvrait sa poitrine, mais sa tête était légèrement surélevée, grâce à une sorte de coussin.

Cornelius a réuni les vêtements de Charlie et est sorti. Je me suis assise au bord du lit et j'ai observé mon frère. Son calme me stupéfiait. Daniel avait sans doute raison d'affirmer que l'esprit se referme parfois.

C'est alors que j'ai remarqué ses larmes.

La boule que j'avais dans la gorge était si grosse que j'aurais pu l'arracher. Charlie ne méritait pas un tel sort. Tout ce qu'il voulait, c'était un peu d'argent et une vie plus facile pour nous tous. Maman travaillait très dur, mais ce n'était jamais suffisant.

— Ça ira, ai-je murmuré. J'ignore comment, mais tout s'arrangera.

Charlie se contentait de fixer le plafond. Je me suis rendu compte qu'il avait renoncé.

J'ai éteint la lumière et, tout habillée, je me suis glissée sous les couvertures. Pas moyen de dormir. Je ressassais inlassablement les mêmes questions. *Pourquoi Charlie ? Pourquoi lui ai-je remis la bouteille ?*

Depuis le lit, je voyais une bibliothèque. J'ai parcouru quelques titres : *Le pouvoir de la foi*, *Courage !*, *Nul n'est une île*. Alors qu'il était frappé par la malédiction, sans doute oncle Jonathan avait-il eu beaucoup de temps à consacrer à la lecture. Je n'arrivais pas à me représenter une chose pareille : être condamné, pendant presque toute sa vie, à dormir dans l'eau, à ne pas pouvoir sortir le soir, à être seul.

Quelle *horrible* existence ! Je me suis promis de ne plus jamais me plaindre.

À trois heures, j'écoutais encore le tic-tac de l'horloge, les yeux grands ouverts. Lire m'aide à dormir. J'ai donc allumé la lampe de chevet, de l'autre côté du lit, je me suis levée et j'ai pris un livre sur la tablette. Il était recouvert d'une jaquette violette où le titre était imprimé en lettres dorées : *Paroles de sagesse.* Je me suis recouchée et j'ai feuilleté l'ouvrage. Il était rempli de phrases prononcées par des gens ayant dû affronter de terribles épreuves. J'ai vu une photo du Mahatma Gandhi. La légende disait : « On ne peut vaincre son adversaire que par l'amour. »

Ouais. On dit ça.

J'ai tourné la page. Un signet est tombé du livre. Il y avait dessus la photo d'une lanterne en 3D. Si on la tenait d'une certaine façon, la lanterne était éteinte. Il suffisait de la tourner un peu pour qu'elle s'allume. On y voyait les mots suivants : « Une seule lampe suffit à dissiper mille ans de ténèbres. »

Plus je lisais, plus mes paupières s'alourdissaient. Parfait. J'allais… enfin… pouvoir… dormir. Quel bonheur.

Un coup violent frappé à la porte m'a fait sursauter.

— Tu as entendu, Charlie ?

Il avait les yeux fermés.

On a cogné de nouveau, encore plus fort. Charlie ne bronchait toujours pas.

J'ai repoussé les draps.

— Cornelius ?

Quelqu'un murmurait.

— C'est vous, Cornelius ?

Je me suis levée et, lentement, je me suis approchée de la porte. J'avais trop peur pour ouvrir. J'ai donc posé l'oreille contre le trou de la serrure et j'ai écouté.

— I-l n-e d-i-t p-a-s l-a v-é-r-i-t-é. I-l n-e d-i-t p-a-s l-a v-é-r-i-t-é.

Prise de panique, j'ai ouvert sans réfléchir. Le garçon que j'avais vu en train de se bercer était planté devant moi !

Il avait l'air aussi effrayé que moi. Au bout d'une seconde, il s'est enfui dans l'escalier. Je me suis élancée à ses trousses.

En bas, je me suis arrêtée brusquement. Où avais-je la tête ? *Retourne dans la chambre !* hurlait une voix dans mon crâne.

Au moment où j'allais remonter, j'ai entendu quelque chose. Mon corps s'est immobilisé. Quelqu'un chantonnait. *Maman ?*

Tandis que mon cœur battait follement, mes pieds ont mis le cap sur l'endroit d'où venait le son. Je voyais une lumière dorée vaciller au bout du couloir. S'il vous plaît, faites que ce soit maman…

Plus je m'approchais, plus le fredonnement était fort. C'était une voix d'homme. J'étais accablée.

J'ai jeté un coup d'œil dans la pièce. Cornelius se tenait devant un âtre si grand que j'aurais pu y entrer debout. Il repassait. J'ai mis un moment à reconnaître les vêtements. C'étaient ceux de Charlie. Cornelius leur donnait un coup de fer au beau milieu de la nuit. Et il semblait heureux.

Je suis remontée à pas de loup. De temps à autre, je regardais par-dessus mon épaule, au cas où le fantôme qui était descendu comme un éclair déciderait de regrimper de la même manière. Dans la chambre d'oncle Jonathan, j'ai verrouillé la porte et tiré une chaise que j'ai ensuite coincée sous la poignée. Puis je me suis remise au lit et j'ai remonté les couvertures jusqu'à mon menton.

Deux ou trois secondes plus tard, je les ai repoussées.

Qui donc ne disait pas la vérité ?

14

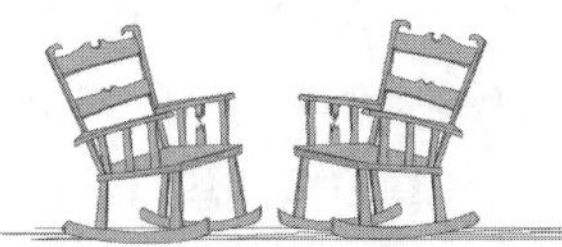

Lorsque l'horloge a enfin sonné sept heures, je me suis tournée sur le côté.

— Ça va, Charlie ?

— Ça va, Lacey. Tu crois que je peux me lever, maintenant ?

— Je ne sais pas. Il vaut peut-être mieux a…

On a frappé et j'ai failli m'étouffer.

— Qui est là ?

— Cornelius Twickenham. Vous permettez ?

Je me suis détendue. J'ai retiré la chaise, déverrouillé la porte.

Cornelius est entré, les vêtements de Charlie pliés avec soin sur un bras et une grande serviette blanche sur l'autre.

— Bonjour, a-t-il dit gaiement.

— Je peux sortir ? a demandé Charlie.

— Bien entendu. Au lever du soleil, tout redevient normal.

Charlie a soulevé sa main droite et l'a regardée avec attention. Comme rien ne se passait, il s'est hissé hors de l'eau. Cornelius l'a enveloppé dans la serviette et lui a frotté les bras, comme maman avait l'habitude de le faire lorsque nous étions petits.

— Quand vous serez prêts, descendez à la cuisine, a lancé Cornelius. J'ai préparé des crêpes, du bacon à l'érable, des tartines à la marmelade d'orange, des pommes de terre rissolées et du lait au chocolat... avec des guimauves !

Charlie lui a souri. J'ai été réconfortée par le geste. Dès que la porte s'est refermée, Daniel est apparu. Il était assis sur le lit.

— Bien dormi ?

— Tu parles, ouais, a ronchonné Charlie en récupérant ses lunettes.

— Ne t'inquiète pas. Je *sais* qu'on réussira à te débarrasser du sortilège. Tu dormiras bientôt dans ton lit. Je te le promets.

Assis sur une chaise, Charlie enfilait ses chaussettes.

— Je donnerais cher pour être à la maison, là, maintenant.

Ça m'a rappelé une chose…

— Mais maman… Elle doit être dans tous ses états.

Le corps de Daniel a flotté au-dessus du lit. L'instant d'après, il était debout.

— Votre mère est en sécurité. Ne vous faites pas de souci pour elle.

— Où est-elle ?

— Elle dort comme un loir. Je l'ai plongée dans un état de transe pour lui éviter de se rendre malade à l'idée de la malédiction.

Charlie s'est penché pour nouer les lacets de ses chaussures.

— Il a raison, Lacey. Maman est championne dans ce domaine.

— D'accord, mais dis-nous où elle est.

— Non, parce que vous partiriez à sa recherche, et nous avons encore beaucoup de pain sur la planche, a répliqué Daniel.

J'ai tiré Charlie de sa chaise et je l'ai obligé à se camper à côté de moi.

— Nous ne bougerons pas d'ici avant de savoir où elle est.

— Débarrassons-nous d'abord du sortilège. Puis vous saurez tout. Promis.

Daniel a souri.

J'ai croisé les bras avant de le fusiller du regard.

Son sourire s'est effacé.

— Bon, très bien, puisque tu y tiens tellement.

— J'insiste.

— Moi aussi, a ajouté Charlie d'une voix flûtée.

Daniel s'est avancé vers la baignoire. Il a réfléchi pendant quelques secondes, puis il a dit :

— Ceci fera parfaitement l'affaire.

Nous nous sommes rapprochés, Charlie et moi. Daniel a tracé des cercles au-dessus de la surface, et l'eau s'est mise à tourbillonner. Lorsqu'elle s'est calmée, nous avons vu une image, comme sur l'écran d'un téléviseur. Maman flottait dans l'air, au centre d'une pièce plongée dans l'obscurité.

— La voilà ! me suis-je écriée.

Charlie a hurlé :

— Elle est morte !

— Ne sois pas ridicule, a lancé Daniel.

— Elle est morte ! Tu l'as tuée !

Charlie vociférait.

Daniel semblait ulcéré.

— Elle est en animation suspendue.

— Je sais reconnaître une morte quand j'en vois une ! a gémi Charlie.

À ce moment précis, maman a ronflé. Charlie a souri.

— Elle est vivante !

J'ai poussé un soupir de soulagement.

— Maintenant que nous avons établi que votre mère se porte bien, a dit Daniel, croyez-vous que nous pourrions nous concentrer sur la suppression du sortilège ?

Nous avons hoché la tête. Il a souri.

— Parfait. Dans ce cas, la première chose à faire, c'est… manger !

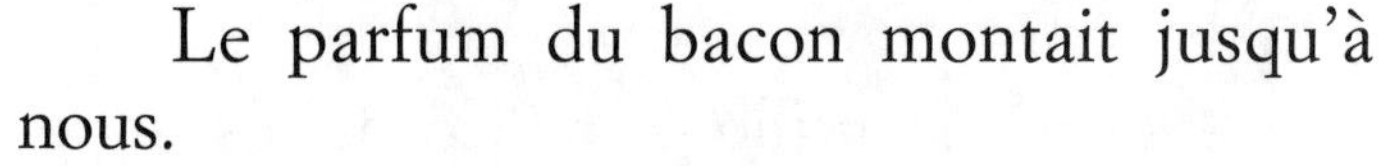

Le parfum du bacon montait jusqu'à nous.

Charlie a humé la bonne odeur.

— Cornelius prépare-t-il toujours d'aussi délicieux déjeuners ?

— Toujours, a fait Daniel. Demande-lui ce que tu veux... Son seul but dans la vie, c'est de faire plaisir.

Dans la cuisine, la table était dressée et Cornelius tenait un plateau chargé de crêpes.

— Combien ?

— Trois pour moi, a répondu Charlie en tirant une chaise.

— Trois pour Charlie Darcy, a chantonné Cornelius en servant mon frère.

— Hmm. Deux pour moi, s'il vous plaît.

Cornelius, après avoir rempli mon assiette, s'est tourné vers Daniel. Celui-ci a réfléchi pendant un moment.

— Deux tranches de pain aux raisins grillées et légèrement beurrées avec huit tranches de bacon. Bien croustillantes, s'il vous plaît, Cornelius.

— Tout de suite.

Daniel s'exprimait toujours comme un adulte.

Devant le grille-pain, Cornelius a demandé :

— Le jeune Matthew se joindra-t-il à nous aujourd'hui ?

— Qui est Matthew ? a voulu savoir Charlie.

— L'autre fantôme, a précisé Daniel d'un air dégoûté, comme s'il humait une mauvaise odeur.

Puis il s'est tourné vers Cornelius.

— Je n'ai pas vu Matty depuis hier. Avec un peu de chance, il ne viendra pas. Il est d'humeur massacrante, ces jours-ci.

Cornelius a déposé un beurrier sur la table.

— Je vais lui acheter quelque chose au village. Ça lui remonte toujours le moral.

Faire la cuisine pour des spectres ? Leur offrir des cadeaux ? C'était décidément une drôle de demeure.

Je me suis attaquée à mes crêpes. Elles étaient délicieuses.

— Quand le bacon est prêt, je le suis aussi, a déclaré Charlie.

Le sourire de Cornelius a illuminé la pièce.

Daniel a repoussé son assiette et s'est accoudé sur la table.

— Revenons-en à la malédiction.

Cornelius s'est instantanément assombri.

— Je pense qu'il faut laisser une seconde chance à Mme Rothbottom, a poursuivi Daniel.

— Pas question, ai-je déclaré sur un ton sans appel.

— Je suis d'accord avec Lacey, a bredouillé Charlie en mâchant son bacon. Toute personne qui a une tête dans son frigo est diabolique. Aucun doute possible. Di-a-bo-li-que.

Cornelius s'est assis à côté de nous.

— Il est impossible de supprimer le sortilège. M. Darcy a essayé de nombreuses fois.

Daniel l'a regardé avec colère.

— Il m'a lui-même avoué ne pas avoir déployé de très grands efforts. Parce qu'il avait trahi son meilleur ami, il avait le sentiment de mériter son sort.

Cornelius s'est détourné.

— Inutile de vous torturer. La malédiction est là pour de bon. Restez donc plutôt ici. Je veillerai sur vous.

Il a regardé Charlie.

— Passer la nuit dans l'eau n'est pas si pénible. C'est agréable, voire réconfortant. Tu dormiras comme un bébé. Et pendant la journée, tu t'amuseras comme un fou.

Il a balayé notre petite assemblée des yeux.

— Vous pourrez jouer tant que vous voulez, manger à votre guise. Pas la peine de fréquenter l'école ni de travailler. Avec moi, vous aurez une vie magnifique.

Soudain, une porte d'armoire a claqué. Nous avons tous sursauté. L'une après l'autre, les autres portes se sont ouvertes et refermées rapidement.

Charlie a bondi de sa chaise.

— Qu'est-ce qui se passe ?

— C'est juste Matty qui fait des siennes, a expliqué Daniel.

On tirait sur des tiroirs. Des cuillères et des fourchettes s'écrasaient par terre.

Daniel, boudeur, a croisé les bras.

— Il a juste besoin d'attention.

— Va t'asseoir, Matthew, a ordonné Cornelius d'une voix fâchée.

Le calme est aussitôt revenu. Puis, un coup sonore frappé à la porte nous a tous fait de nouveau tressaillir.

Charlie s'est retourné.

— Qui est là ?

Daniel a souri.

— Mme Rothbottom.

— Qu'est-ce qu'elle vient faire ici ?

— Je lui ai téléphoné.

Cornelius semblait furieux.

— Pourquoi fourres-tu ton nez dans des affaires qui ne te concernent plus ?

Toc, toc !

— Ne soyez pas rustre, Cornelius. Laissez entrer cette bonne dame.

En sortant de la cuisine, Cornelius a lancé à Daniel un regard furieux.

Charlie paniquait.

— Il faut que je trouve une cachette !

— Écoute ce que Mme Rothbottom a à dire, a proposé Daniel. Ensuite, tu décideras.

— Non !

Charlie a plongé sous la table et tiré une chaise vers lui. C'est une sorcière !

15

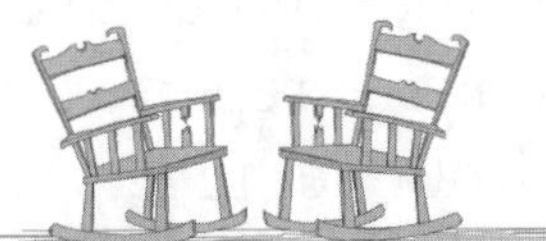

Daniel a disparu au moment où Mme Rothbottom entrait dans la pièce. Elle portait une grosse boîte ronde qu'elle a lourdement déposée sur la table.

— Ouvre, Lacey.

— Qu'est-ce qu'il y a dedans ?

— Allez, vas-y.

Lentement, j'ai tendu les bras et soulevé le couvercle.

C'était la tête !

J'ai crié. Puis Charlie m'a imitée.

— Sors de sous la table, a ordonné Mme Rothbottom.

— Non.

— Ne sois pas ridicule, Charlie.

— Allez-vous-en !

— Je suis là pour expliquer ce truc grotesque. C'est la cause de toute cette histoire, non ?

— Quelle histoire ? Il n'y a pas d'histoire qui tienne. Nous déjeunions. Des crêpes et du bacon. Servez-vous et rentrez chez vous.

— Je suis venue mettre les choses au clair et il est hors de question que je reparte avant de l'avoir fait. Sors de là. Tout de suite.

— Je vous entends bien d'ici. Merci quand même.

Mme Rothbottom a pincé les lèvres.

— Touche, Lacey. Ce n'est pas une vraie tête. Quel genre de monstre garderait une telle chose dans son frigo ?

— À vous de nous le dire.

Mme Rothbottom a haussé le sourcil droit.

— Elle est en gélatine.

— Ah bon ? Comme du Jell-O ?

— Exactement. Goûte, si tu ne me crois pas.

— N'y touche pas, Lacey.

— Je n'aime pas le Jell-O, ai-je déclaré. Surtout quand il a l'air de ça.

— Balivernes !

Mme Rothbottom s'est penchée pour prendre une cuillère de l'autre côté de la table.

Elle a planté l'ustensile dans la tête, a pris un œil tout tremblant et l'a fourré dans sa bouche.

— Délicieux.

La chaise s'est déplacée et Charlie s'est redressé.

— Pourquoi ? Pourquoi fabriquer une tête en Jell-O ?

— C'est mon passe-temps. Je crée des moules… inusités. Je pense que, cette fois-ci, je me suis surpassée.

— Qui est-ce ?

— Eh bien, M. Rothbottom, évidemment.

Cornelius s'est encadré dans la porte.

— Prenez votre tête, madame, je vous prie, et rentrez chez vous. Nous n'avons pas besoin de vos services.

— Pourquoi m'avoir téléphoné, dans ce cas ?

— Pardon ?

— Vous êtes bien Cornelius Twickenham, non ?

— Oui. Mais je ne vous ai pas convoquée et je ne le ferais pour rien au monde.

— Peu importe qui s'est adressé à moi.

Mme Rothbottom s'est tournée vers Charlie.

— Si tu veux, nous pouvons finir ce que nous avons commencé hier soir.

Charlie a semblé reprendre espoir.

— Vous voulez dire que vous pouvez encore me débarrasser de cette malédiction ?

— Exactement.

— *Génial.*

— Personne n'en est capable ! a crié Cornelius.

— Et qui êtes-vous pour décider de ce qui est possible et de ce qui ne l'est pas, monsieur Twickenham ?

— C'est de l'imposture ! Vous n'êtes que des charlatans, tous !

Mme Rothbottom a plissé les yeux.

— C'est ce qu'on verra.

Cornelius s'est rapproché de Charlie.

— Elle te mène en bateau, mon garçon. Tu vas au-devant d'une grande déception, d'une terrible déception !

— Ça va, Cornelius, a dit Charlie. Je veux bien essayer. Qu'est-ce que j'ai à perdre, au fond ?

— Non, *je t'en supplie*, reste avec moi.

Cornelius semblait désespéré.

— Allez-y, a susurré Daniel à mon oreille.

— Suis-moi, Charlie.

Mme Rothbottom a récupéré sa tête en gélatine et nous nous sommes mis en route. Nos manteaux étaient restés chez elle, mais rien n'empêchait Charlie de porter son écharpe.

Devant la patère, je me suis rendu compte qu'elle avait disparu.

16

Moins de dix minutes plus tard, nous traversions la cour de Mme Rothbottom.

— Ça va marcher à la lumière du jour, sans la pleine lune ? ai-je entendu Charlie lui demander.

— Oui, oui, je t'assure.

Elle nous a conduits près de l'arbre de haute taille. Puis, comme la veille, elle a ordonné à Charlie de se mettre en face. Elle a allumé les deux chandelles et nous a dit d'attendre. Cette fois, elle est entrée elle-même dans la maison. Elle en est ressortie avec la théière enveloppée dans une serviette. Après l'avoir posée sur une table basse en bois, elle a délicatement soulevé le couvercle. De la vapeur s'est élevée dans l'air frisquet.

— Bon, commençons.

Elle s'est tournée vers moi.

— Lacey, je veux que tu tiennes la tête de Charlie. Il ne faut en aucun cas qu'elle se pose par terre. Et toi, Charlie, tu dois t'allonger sur le dos et regarder le ciel. Lacey empêchera ta tête de toucher le sol. C'est fondamental. Tu comprends ?

Charlie a fait signe que oui et s'est couché dans la neige. J'ai pris sa tête sur mes genoux.

— Merci, Lacey, a-t-il dit.

— Il ne faut pas qu'elle repose sur tes genoux, a précisé Mme Rothbottom. Il doit y avoir un espace entre elle et le sol.

J'ai reculé mes jambes. Soudain, le crâne de Charlie est devenu beaucoup plus lourd.

Mme Rothbottom a dénoué le cordon d'un sac en velours vert, d'où elle a sorti un minuscule flacon. Je l'ai vue appliquer quelques gouttes d'huile sur ses mains et les frotter ensemble en marmonnant des mots incompréhensibles. Elle a remis la bouteille à sa place et a pris un petit sablier rempli de sable blanc étincelant.

Je commençais à avoir mal aux bras. Quelle idée d'avoir la tête aussi lourde !

Mme Rothbottom s'est agenouillée à côté de nous.

— À présent, Charlie, je vais répandre la potion autour de toi. Mais d'abord, je dois verser ce sable béni sur ton front en récitant une incantation qui a pour but de rompre le charme. Tu n'as qu'à rester parfaitement immobile.

Elle m'a fixée.

— N'oublie pas, Lacey. Sa tête ne doit pas toucher le sol.

— Compris.

Mme Rothbottom a retiré le bouchon d'un des bouts du sablier et l'a laissé tomber à côté d'elle. Il a disparu dans la neige. Elle a brandi l'instrument.

— Par le pouvoir de la lumière, qui est et qui restera toujours plus fort que celui des ténèbres, nous demandons la suppression de la malédiction dont est frappé Charlie Darcy.

Avec le sable, elle a tracé un cercle sur le front de Charlie.

— *Je purifie à présent cet enfant à l'aide des sables du temps.*

Elle a mis un peu de sable au centre du cercle.

Avec la lumière, l'amour et des mots magiques
Je renverse à jamais l'envoûtement satanique.
Quand j'aurai prononcé ces paroles
Que pour toujours le sort maudit s'envole.

En un mince filet, elle a fait couler le reste du sable du milieu du cercle jusqu'au sommet de la tête de Charlie.

Ce maléfice est désormais brisé
Et de son emprise… tu es libéré.

Une vague de paix est descendue sur moi. Sans doute Charlie l'a-t-il sentie, lui aussi, car il a levé les yeux et souri. Mes yeux se sont remplis de larmes… de joie.

— Charlie Darcy, a poursuivi Mme Rothbottom, tu es sous la protection d'une lumière universelle. Rien ne peut t'atteindre. La force qui sous-tend cette malédiction…

Une voiture a klaxonné.

J'ai sursauté.

La tête de Charlie a heurté le sol.

— Nooon ! a crié Mme Rothbottom.

Charlie a roulé sur le côté.

— Ma tête a touché le sol ! Elle a touché le sol !

— Désolée, désolée. C'est à cause du k…

Mme Rothbottom est partie en courant.

— Où va-t-elle ? a demandé Charlie.

— Je n'en sais rien.

— Et maintenant ?

J'avais mal au cœur. Comment avais-je pu laisser tomber Charlie de la sorte ?

Nous avons entendu des crissements. Mme Rothbottom était de retour dans le jardin, l'air furieuse.

— Il n'y a pas une minute à perdre.

Elle s'est emparée de la théière.

— Entrez. *Immédiatement.*

J'ai aidé Charlie à se relever et nous sommes allés dans la cuisine en toute hâte. Mme Rothbottom a déposé son fardeau sur la table, ouvert une armoire au-dessus de l'évier et repoussé la vaisselle. Elle a ensuite pris une tasse en fer-blanc et y a versé le thé, si vite qu'elle s'est éclaboussée. Elle a tendu le récipient à Charlie.

— Bois !

— Quoi ? C'est une potion destinée au *sol* !

— Bois, je te dis !

— J'ai trop peur.

— Tu veux te débarrasser de la malédiction ou pas ?

Elle avait craché les mots.

Charlie a approché la coupe de ses lèvres, les mains tremblantes.

— Ça pue !

Mme Rothbottom a agité un index sous son nez.

— Trêve d'enfantillages. Ça va marcher, je t'assure. Par contre, tu risques de perdre la vue pendant quelques jours.

— Je vais devenir aveugle ?

— Vous êtes sûre qu'il n'y a pas d'autre moyen ? ai-je demandé sur un ton suppliant.

— C'est le seul. Dis à ton frère de boire.

— Vas-y, Charlie. Avale cette fichue potion !

— Je ne peux pas, Lacey. Je ne peux pas.

— *Bois !*

— Elle perd son efficacité au bout de trois minutes.

Mme Rothbottom s'est assise.

— Et je n'ai plus assez d'ingrédients pour recommencer.

Après m'avoir foudroyée du regard, Charlie s'est pincé le nez et a obéi.

Toussant follement, il a fini par recouvrer la voix.

— Et la malédiction… elle a disparu ?

Mme Rothbottom a foncé vers la fenêtre et tiré les rideaux. Tout son corps s'est détendu.

— Les chandelles sont éteintes.

Lentement, elle s'est tournée vers Charlie et lui a souri.

— Tu es tiré d'affaire.

Charlie a toussé encore un peu. Mme Rothbottom s'est approchée de lui et lui a flatté le dos.

— Désolée, mon lapin. Il n'y avait pas d'autre solution.

— Pourquoi Charlie a-t-il dû le boire, ce thé ? Vous aviez dit que…

— Sa tête a touché le sol, Lacey. Je t'avais prévenue.

— Je ne l'ai pas fait exprès. Le klaxon m'a effrayée.

— Nous avons tous eu peur. Mais il ne fallait pas que tu la laisses tomber.

— C'est pourtant arrivé ! Alors comment pouvez-vous dire que la malédiction a disparu ?

— J'ai pris une mesure... compensatoire.

— Qu'est-ce que ça signifie ?

— La potion est à l'intérieur de Charlie plutôt qu'autour de lui... La malédiction a été supprimée pour de bon.

Elle avait l'air sûre d'elle. J'espérais de tout mon cœur qu'elle avait raison.

— Maintenant, payez-moi. Il faut rétablir l'équilibre, sinon ça ne marchera pas. On ne doit rien accepter sans donner quelque chose en retour.

Nous avons vidé nos poches, Charlie et moi. À nous deux, nous avions vingt-sept dollars. Je me suis souvenue de l'écriteau. *Suppression de malédiction 40 £.* Nous n'avions pas assez.

— C'est parfait, a déclaré Mme Rothbottom en glissant l'argent dans la poche de son chandail.

En voyant la surprise sur mon visage, elle m'a gratifiée d'un clin d'œil.

L'horloge murale a sonné. Il n'était que huit heures du matin, mais déjà les yeux de Charlie se fermaient.

Mme Rothbottom l'a entraîné dans le salon.

— Laissons-le dormir. C'est une potion très puissante.

— J'espère que tout s'est arrangé.

Elle m'a jeté un coup d'œil par-dessus son épaule.

— Tu en auras le cœur net… à minuit.

17

— Si seulement je n'avais pas retiré mes mains quand la voiture a klaxonné…

Je m'en voulais d'avoir laissé tomber Charlie.

— Ce n'est pas ta faute, Lacey.

J'ai regardé par la fenêtre.

— Faut-il téléphoner à Cornelius et lui demander de venir nous chercher ?

— *Non !*

Pourquoi Mme Rothbottom semblait-elle si irritée ?

— Ne vaudrait-il pas mieux que Charlie soit près du lit rempli d'eau, juste au cas ?

D'un tiroir, Mme Rothbottom a sorti deux moules en métal.

— Ce coup de klaxon n'était pas accidentel.

— Quoi ?

— La voiture était loin, mais je crois que c'était celle de M. Darcy.

— *Cornelius ?*

— Pour une raison que j'ignore, cet homme ne veut pas que la malédiction soit supprimée. Je préférerais que vous restiez ici, Charlie et toi. Pour le moment.

Elle a brandi les moules.

— Lequel veux-tu que je prenne ? La reine d'Angleterre ou King Kong ?

Avant que j'aie eu le temps de répondre, le téléphone a sonné. Mme Rothbottom a échangé quelques mots avec son interlocuteur avant de conclure :

— Venez tout de suite. Je suis libre.

Après avoir raccroché, elle a souri.

— Voilà un sort que je peux jeter sans problème.

— Lequel ?

— L'amour… C'est un des plus faciles. Tout le monde veut aimer et être aimé. Les gens ont juste besoin d'un petit coup de pouce.

Mme Rothbottom nous a fait du chocolat chaud, puis elle a préparé du Jell-O et a versé le mélange dans un moule représentant King Kong. Au moment où elle le mettait dans le réfrigérateur, on a cogné à la porte.

— C'est sûrement Mlle Briar.

Elle est allée ouvrir. Peu après, elle est revenue en compagnie d'une dame aux cheveux blancs, vêtue d'une robe rouge vif. J'avais imaginé une « demoiselle » beaucoup plus jeune, mais je suppose que les personnes âgées rêvent d'amour, elles aussi.

— Bonjour, a dit Mlle Briar avec un fort accent écossais. Comment vas-tu ?

Horriblement mal ! avais-je envie de répondre. Mon frère est maudit ! Ma mère a disparu ! Et nous habitons au milieu des fantômes.

— Très bien, merci, me suis-je pourtant contentée de marmonner.

Mlle Briar s'est tournée vers Mme Rothbottom.

— Vous êtes gentille de me recevoir comme ça à la dernière minute. Vraiment très gentille.

— Je vous en prie.

Mme Rothbottom a souri et a ouvert la porte du sous-sol.

— Suivez-moi.

Pendant qu'elles étaient en bas, j'ai parcouru le salon avant de me laisser choir dans un fauteuil. J'aurais bien aimé que Charlie se réveille et me fasse un peu la conversation, mais il ronflait paisiblement. Ça valait sans doute mieux. Être éveillé, c'est se tracasser.

— La plupart du temps, je vais bien, mais je sens parfois une grande tristesse descendre sur moi.

Mlle Briar ! Comment pouvais-je l'entendre de si loin ?

J'ai suivi la voix jusqu'à une grille en métal sur le parquet.

— Vous croyez vraiment que j'ai encore une chance de connaître l'amour ? Je suis si vieille.

— Balivernes, a déclaré Mme Rothbottom. Vous avez encore de nombreuses belles années devant vous.

À genoux, j'ai posé l'oreille contre l'ouverture.

— Je… je ne veux *forcer* personne à avoir de l'affection pour moi.

— Ne vous inquiétez pas pour si peu. Les charmes ne peuvent pas obliger quelqu'un à vous aimer. Pas les miens, en tout cas.

Elle a ajouté :

— Sur ce bout de papier, écrivez sept fois : « Que je trouve l'âme sœur. »

Au bout d'une minute environ, elle a poursuivi :

— À présent, mademoiselle Briar, tournez la feuille à l'envers, inscrivez-y votre nom, puis répandez-y un peu de cette poudre et grattez le milieu avec vos ongles.

Pendant que j'espionnais, mes paupières se sont alourdies… alourdies…

— Debout là-dedans.

Mme Rothbottom était penchée sur moi. J'étais toujours par terre, mais j'avais un oreiller sous la tête.

— Où est Mlle Briar ?

— Partie il y a une éternité.

— *Une éternité ?* Quelle heure est-il ?
— Presque minuit.
— Vous plaisantez ?
Je me suis relevée tant bien que mal.
— Du calme.
Elle m'a souri.
— Il n'y a pas le feu.
— Où est votre baignoire ?
Nous sommes montées, les marches grinçant sous nos pas.
— C'est la dernière porte sur la droite, a dit Mme Rothbottom.
Nous marchions dans le couloir en direction de la salle de bains. Il y avait un lavabo, une cuvette et une petite baignoire basse. La pièce était si minuscule que tout cela y tenait à peine.
— Où est Charlie ?
— Charlie qui ?
Mon cœur s'est affolé.
— Comment ça, Charlie qui ?
Mme Rothbottom a ouvert le robinet.
— Un ami à toi, peut-être ?
— À quoi jouez-vous ?
Elle semblait perplexe.
— Que veux-tu dire, mon lapin ?

— Pourquoi faites-vous semblant de n'être au courant de rien ?

Elle a vérifié la température de l'eau.

— Dis-moi ce qui ne va pas, Lacey.

— Vous me flanquez la trouille, madame Rothbottom.

— Il ne faut pas. Je prépare simplement ton bain.

— *Mon* bain ?

Elle m'a dévisagée.

— Tu es maudite, au cas où tu l'aurais oublié.

— Réveille-toi !

C'était la voix de Charlie.

— Réveille-toi, Lacey ! Réveille-toi !

— Où es-tu, Charlie ?

— Je suis là. Juste ici. Ouvre les yeux.

— *Ils sont déjà ouverts !*

On m'a aspergé le visage d'eau froide.

De nouveau, Mme Rothbottom se penchait sur moi.

— *Où est Charlie ?* ai-je crié.

— Ici.

Charlie est apparu derrière Mme Rothbottom. Il avait le visage noirci et ratatiné.

18

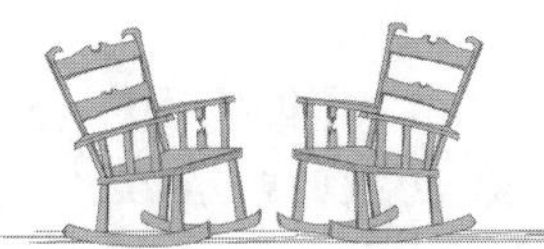

On me secouait sans ménagement.

— Debout !

Mes paupières se sont ouvertes d'un coup et j'ai reconnu Charlie.

— Ça va, Lacey ? J'ai eu du mal à te réveiller.

— J'ai… j'ai dû m'assoupir. J'ai fait un cauchemar.

Je me suis frotté les yeux et j'ai regardé autour de moi. J'étais encore dans le salon, couchée par terre.

— Je rêve toujours quand je dors l'après-midi.

— Ce n'est plus l'après-midi.

Mme Rothbottom se tenait dans l'embrasure de la porte.

J'ai consulté ma montre. Il était minuit moins dix.

— Il faut conduire Charlie là-haut !

— La malédiction a disparu, a dit Mme Rothbottom d'une voix douce. Je te le garantis.

— Est-ce qu'on pourrait avoir de l'eau tout près, juste au cas où ? *S'il vous plaît ?*

Mme Rothbottom a hoché la tête.

— Bien sûr.

Nous sommes montés à l'étage. Les marches ont grincé, exactement comme dans mon rêve. Mme Rothbottom a esquissé un geste et dit :

— C'est la dernière porte sur la droite.

Comme dans mon rêve aussi.

— Allez-y. Je vous suis.

Nous avons continué, Charlie et moi.

— La baignoire est déjà remplie, a constaté Charlie. Elle savait que tu t'inquiéterais pour moi.

— Pas toi ?

— Non. Je me sens très bien. Ne me demande pas pourquoi.

J'ai été un peu rassurée en voyant la salle de bains. Elle ne ressemblait pas du tout à celle de mon rêve. Dans celle-ci, il y avait beaucoup d'espace, une grande fenêtre et une baignoire avec des pieds en forme de griffes.

Mme Rothbottom est passée près de nous, une petite horloge à la main. Elle l'a déposée sur l'appui de la fenêtre, puis elle a baissé le couvercle de la cuvette et s'est assise dessus.

— Dans six petites minutes, vous aurez la preuve que tout est revenu à la normale.

Nous avons attendu.

Plus que deux minutes.

Une.

J'ignore ce que Mme Rothbottom avait mis dans son thé, mais une chose était sûre : Charlie était d'un calme olympien. Peut-être était-ce terminé. À moins que…

— Déshabille-toi, Charlie.

— Pourquoi ?

— Par mesure de précaution. S'il te plaît. Enlève-moi tout ça.

Charlie a roulé les yeux, mais il s'est exécuté.

— Voilà. Contente ?

La trotteuse de l'horloge parcourait les dernières secondes. Vingt-neuf… vingt-huit… vingt-sept…

Mme Rothbottom a déchiré un bout de papier hygiénique pour se moucher.

Huit… sept… six… cinq… quatre…

J'avais le cœur dans la gorge.

Trois… deux… une.

Rien.

L'horloge a continué d'égrener les secondes.

— Tu vois ? a dit Charlie.

Mon corps tout entier s'est détendu et j'ai ri. Puis j'ai pris mon frère dans mes bras et je l'ai serré fort.

— Tu vas bien ! Tu vas bien !

— Ouille !

— Désolée. Je suis si heureuse !

— Ouille ! a-t-il crié de nouveau.

Je ne le touchais même plus.

— Qu'est-ce qu'il y a ?

Il observait ses mains. Elles noircissaient. Et se craquelaient. Les fissures montaient rapidement sur ses bras.

— Dans l'eau, vite ! ai-je hurlé en le poussant.

Charlie s'est allongé en faisant des éclaboussures, puis il a tenté de se relever.

— Ne bouge pas !

Il s’est immobilisé. Les craquelures se sont remplies et le noir a disparu.

— *Je suis toujours maudit !* s’est-il exclamé. *Toujours maudit !*

19

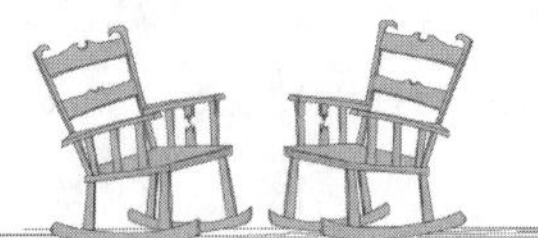

J'ai fusillé Mme Rothbottom du regard.

— Vous avez dit que la malédiction était supprimée !

Elle avait le visage blême.

— Elle… elle devrait l'être.

— *Devrait ?* me suis-je écriée d'une voix stridente. Eh bien, elle ne l'est pas !

— Il y a un problème, un grave problème…

Elle s'est dirigée vers la porte.

— *Restez avec nous !* ai-je dit sur un ton suppliant.

— Il faut que je réfléchisse.

Elle a rentré la tête dans la pièce.

— Tiens-lui la main. Serre-la fort.

Je me suis agenouillée à côté de la baignoire et j'ai pris la main de Charlie sous l'eau.

— Ça va aller, Charlie. Je te le promets. Ça va aller.

Mon frère tremblait. Il avait l'air terrifié.

Une minute plus tard, Mme Rothbottom était de retour.

— Je sais que tu as peur, Charlie. C'est parfaitement compréhensible. Mais je veux que tu te concentres.

Elle s'est rassise.

— Quelqu'un t'a-t-il pris en photo pendant que tu étais au manoir ?

— Non.

— Est-ce que tu t'es taillé les ongles ?

— Non.

— T'es-tu cogné la main et *cassé* un ongle ?

— Non.

— A-t-on coupé tes cheveux ou nettoyé ta brosse ?

Je n'en pouvais plus.

— Pourquoi le bombardez-vous de questions stupides ?

Mme Rothbottom a tourné la tête.

— Parce qu'on ne peut pas rompre un envoûtement si la personne qui en est victime ne s'appartient plus complètement.

— Qu'est-ce que vous me chantez là ?

— Quelqu'un lui a pris un tribut.

— Charlie fait partie d'une tribu, maintenant ?

— *Un* tribut. On lui a enlevé quelque chose. J'en mettrais ma main au feu.

— Vous racontez n'importe quoi.

— Absolument pas. Quiconque souhaite vous contrôler ou vous empêcher d'agir vous prend un objet personnel. Un vêtement ou une photo, par exemple. Cependant, ce sont les cheveux et les rognures d'ongles qui donnent les meilleurs résultats, car ils font partie intégrante de votre être. La chose en question, quelle qu'elle soit, est cachée dans un sac. C'est ce qui rend impossible la suppression du sortilège. Comme une partie de vous est ailleurs, la malédiction persiste. Elle s'accroche. Tu comprends ?

— Qui aurait pu faire une chose pareille ?

Mme Rothbottom nous a regardés tour à tour, Charlie et moi.

— Personnellement, je soupçonne Cornelius Twickenham.

Charlie s'est redressé.

— Cornelius ?

Sa poitrine et ses bras ont commencé à se fissurer.

— Reste dans l'eau ! a crié Mme Rothbottom.

Vite, Charlie s'est immergé de nouveau.

— Pourquoi ? Pourquoi est-ce qu'il m'aurait joué un aussi sale tour ? Il m'aime bien.

— Je ne sais pas. Pour le moment, du moins.

— Rappelle-toi le déjeuner, Charlie. Cornelius ne voulait pas que la malédiction soit supprimée.

Charlie a hoché la tête.

— Il a dit qu'il s'occuperait de nous, qu'il nous donnerait tout ce que nous voulions. Il a même ajouté que nous ne serions pas obligés d'aller à l'école.

Avec lenteur, Mme Rothbottom s'est adossée au réservoir.

— Je commence à comprendre. M. Twickenham a veillé sur M. Darcy pendant de longues années. Maintenant que son maître a disparu, il n'a plus personne à dorloter.

Elle s'est tournée vers nous.

— Il se sent seul. Le pauvre homme souffre de solitude.

Soudain, j'ai eu une révélation.

— L'*écharpe* de Charlie.

Mme Rothbottom a froncé les sourcils.

— Quelle écharpe ?

— Charlie est venu ici sans elle ! Mais il ne l'a pas *oubliée*. Elle n'était pas sur le crochet où Cornelius l'a mise quand nous sommes arrivés.

— Ah, ah ! Très possible, en effet. Et, sur ce genre d'article, il y a toujours un cheveu ou deux.

— Dans ce cas, ce serait effectivement Cornelius qui a pris un tribut à Charlie.

— Bien. Maintenant que nous savons de quoi il retourne, nous pouvons organiser notre riposte.

— Qu'allons-nous faire ? a demandé Charlie.

— Eh bien, trouver l'objet, évidemment… et le détruire.

— Et comment allons-nous y arriver, je vous prie ?

— Vous devez rentrer au manoir de Blaxston, tous les deux.

Charlie a secoué la tête en semant des éclaboussures.

— Je ne retourne pas là-bas. C'est hors de question. Vous ne pouvez pas m'y forcer.

— Il ne faut pas avoir peur. Personne ne te fera de mal. Promis.

— Ah bon ? Vous aviez aussi promis de me débarrasser du sortilège. Et si Cornelius décide de passer à une autre étape ? Jamais de la vie. Je reste ici, merci quand même.

— Cornelius souhaite le maintien du charme, a déclaré Mme Rothbottom. S'il est rompu, il n'aura plus personne. La solitude pousse à de terribles extrémités…

Je me suis souvenue de la mort de mon père. Nous nous sommes sentis seuls pendant longtemps, Charlie et moi. Maman aussi.

J'ai redressé les épaules.

— Vous pouvez nous donner un indice ? Que faut-il chercher au juste ?

— Bravo, Lacey !

Mme Rothbottom s'est levée et a quitté la salle de bains.

Charlie a un peu redressé la tête.

— Où est-elle encore partie ?

À son retour, Mme Rothbottom tenait trois petits sacs : un rouge, un blanc et un noir.

— Ce sont des grigris, a-t-elle expliqué. Ils sont en flanelle et, comme vous pouvez le constater, de différentes couleurs. On s'en sert le plus souvent pour obtenir quelque chose de bon : de l'argent, une faveur ou l'amour. Mais on peut aussi les utiliser pour *empêcher* telle ou telle conséquence. De toute évidence, M. Twickenham a recueilli des articles qui t'appartiennent, Charlie, et les a mis dans un sac comme ceux-ci. Puis il l'a caché. Votre mission consiste à le trouver.

— Où ça ? a gémi Charlie. La maison est *gigantesque* !

— Une chose est sûre, en tout cas : il ne l'a pas laissé à la vue de tous. Cherchez partout : derrière, au-dessous et même à l'intérieur des objets. Certains dissimulent les grigris dans la maison, d'autres les enterrent à l'extérieur. Il ne faut rien omettre.

— Et si nous le trouvons ?

— Écoutez-moi bien. Quand vous l'aurez, remplissez *aussitôt* une baignoire d'eau chaude. Puis mettez-y neuf cuillers à café de sel.

Mme Rothbottom s'est tournée vers Charlie.

— Déshabille-toi et entre dans l'eau neuf fois. Pas plus, pas moins. À chaque fois, lave-toi avec l'eau salée de haut en bas en commençant par la tête. Jamais par les pieds. *Jamais.* Compris ?

Charlie a hoché la tête.

— Ouais.

— Quand tu seras sorti pour la neuvième fois, mets de l'eau salée dans un bol, sors et lance-la en direction du soleil ou de la lune, selon le moment du jour.

— C'est ainsi qu'on se débarrasse du tribut ?

— Absolument. Une fois le rituel terminé, cependant, il faut détruire le sac et son contenu. Brûlez-le ou jetez-le dans de l'eau courante… Une rivière ou un ruisseau, par exemple.

Charlie a levé les yeux sur moi.

— Une rivière coule sous le pont ! Tu te souviens, Lacey ?

— Parfait ! s'est écriée Mme Rothbottom. Après, téléphonez-moi. Je passerai vous prendre et nous nous débarrasserons de la malédiction.

— Faudra-t-il encore que je boive ce thé infect ?

— Pas cette fois, a répondu Mme Rothbottom. Nous le répandrons autour de toi. À condition que Lacey tienne bien ta tête.

— Plus de gaffes. Promis.

20

Mme Rothbottom m'a apporté une couverture et un oreiller, puis elle est partie se coucher. Je suis restée avec Charlie pendant toute la nuit, mais nous n'avons pas fermé l'œil. Il demandait sans cesse :

— Pourquoi moi ? Pourquoi fallait-il que ça tombe sur moi ?

— Mme Rothbottom sait ce qu'elle fait, répétais-je en lui serrant la main. Tout ira bien. Ce sera bientôt fini, et nous dormirons dans nos lits. Je le sais. Je le sens.

Charlie avait l'air si fatigué. Si seulement il avait pu dormir. Mais comment s'assoupir quand on est terrorisé ?

Les minutes se sont écoulées, interminables.

Je me suis allongée par terre, la couverture serrée autour de moi. « Si tu nous entends, papa, aide-nous, *s'il te plaît.* »

La nuit a fini par s'écouler. Aux premières lueurs de l'aube, j'ai aidé Charlie à sortir de la baignoire. Pendant qu'il se séchait et se rhabillait, j'ai remarqué que ses doigts étaient blancs et plissés, mais je n'ai rien dit.

Nous sommes descendus.

Nous avons trouvé un mot sur la table, posé contre la poivrière.

«*Appelez Cornelius. Vous trouverez son numéro près du téléphone. Dites-lui que la malédiction tient toujours et que vous souhaitez rentrer à la maison.*»

— Où est-elle passée?

Charlie semblait très en colère.

— Elle a peut-être eu un empêchement.

J'ai déchiré le bas de la page, où elle avait inscrit son propre numéro, et je l'ai mis dans ma poche.

— Faisons comme elle dit.

Dans le salon, Charlie a décroché le combiné, pris une profonde inspiration et composé les chiffres.

— Fais semblant d'être déçu, ai-je chuchoté.

— Semblant, tu dis?

Dès que Cornelius a répondu, Charlie a éclaté en sanglots.

— Rien n'a changé, Cornelius ! Je suis toujours maudit !

Je me suis penchée pour mieux entendre.

— J'étais sûr que ça marcherait. Mme Rothbottom a dit que…

— Ils le promettent tous. Mais on est chaque fois déçu.

— Qu'est-ce que je dois faire ? a pleurniché Charlie.

— Reviens au bercail, mon garçon.

— Pouvez-vous passer nous prendre, Lacey et moi ?

— Avec joie.

Charlie a ôté ses lunettes et s'est essuyé les yeux du revers de la main. Il ne simulait peut-être pas, au fond.

Nous avons enfilé nos manteaux et attendu devant la maison. Cornelius est sorti de la voiture et nous a ouvert la portière, comme si nous étions des invités de marque. Je croyais qu'il nous bombarderait de questions, mais il n'a pas desserré les lèvres.

Nous avons traversé le village en silence. Des gens déambulaient, des commerçants ouvraient leurs boutiques. Tout semblait normal. La vie redeviendrait-elle un jour comme avant pour Charlie et moi ?

Pendant que nous franchissions le pont, j'ai eu un mouvement de panique. Et si l'eau de la rivière était gelée ?

Heureusement, elle ne l'était pas.

Cornelius s'est engagé dans l'allée. Par le pare-brise, je voyais les chaises berçantes osciller d'avant en arrière. Nous avons contourné le manoir et nous nous sommes arrêtés près de l'arbre auquel était accrochée la balançoire. Vite, Cornelius nous a de nouveau ouvert. Il se comportait comme un serviteur, et je n'aimais pas ça du tout. Charlie n'a rien remarqué. Il s'est contenté d'entrer, tête baissée.

Il y avait une odeur délicieuse. Charlie s'est aussitôt redressé.

— Qu'est-ce que c'est ?

— Des biscuits maison au beurre d'arachide, aux noix grillées et au chocolat belge.

Cornelius souriait tellement que ses yeux étaient tout plissés.

— Je les ai sortis du four avant de partir. Suivez-moi.

À grandes enjambées, il nous a entraînés dans la cuisine. Sans prendre le temps d'enlever nos manteaux, nous nous sommes jetés sur les biscuits.

— Ce sont les meilleurs que j'aie mangés.

Et je ne mentais pas.

Charlie a hoché la tête en faisant *mmmm*.

— Je n'ai jamais eu d'enfant, a déclaré Cornelius en fonçant vers le réfrigérateur. Je suis heureux de pouvoir vous gâter un peu.

Il nous a servi du lait. Je me suis souvenue de ce qu'avait dit Mme Rothbottom à propos de la solitude de Cornelius et j'ai eu de la peine pour lui.

— Vous avez des frères et des sœurs ?

Cornelius a baissé la bouteille de lait.

— Je suis seul.

Il a longuement contemplé les verres avant de les poser enfin devant nous.

— Je crois que Matthew appelle. Veuillez m'excuser.

J'ai bien vu que ma question l'avait bouleversé, mais je ne savais pas quoi dire.

Il sortait de la cuisine lorsque Daniel est apparu.

— Ça n'a pas marché ! s'est exclamé Charlie. Je suis toujours maudit !

— En vous voyant revenir, j'avais compris.

— Quelqu'un a…

J'ai agité les mains pour l'interrompre.

— Chut.

Charlie s'est tu.

Je suis allée jeter un coup d'œil dans la salle à manger.

— C'est bon. La voie est libre.

— Quelqu'un m'a pris un tribut, a poursuivi Charlie. Et Mme Rothbottom soupçonne Cornelius.

— Un tribut ? a répété Daniel en s'appuyant. Je n'y avais pas pensé.

Charlie a pris un autre biscuit.

— Tu sais de quoi il s'agit ?

— Rognures d'ongles, mèches de cheveux, articles personnels… En plein le genre de Cornelius. Il ne veut pas que la malédiction soit supprimée et il ne s'en cache pas…

— Il faut trouver où Cornelius a dissimulé le grigri, ai-je ajouté. Puis nous devons le lancer dans la rivière.

— Je vais vous donner un coup de main.

— Tu ne sais pas où il est, toi qui es un fantôme ? a lancé Charlie.

— Comme je ne l'ai pas vu faire, je n'ai aucune idée de la cachette qu'il a choisie. Mais on ne risque pas de tomber dessus par hasard.

— Des idées ?

— Je commencerais par sa chambre. Je m'en occupe.

— On cherche un sac renfermant une écharpe brune.

— Entendu.

Daniel a disparu.

Pendant que nous attendions qu'il ait terminé de fouiller la chambre de Cornelius, Charlie et moi avons ouvert les tiroirs et les armoires de la cuisine. J'ai même regardé dans le réfrigérateur.

Ça m'a donné une idée. J'ai rouvert la porte et sorti les œufs.

— Qu'est-ce que tu fabriques, Lacey ?

— On cherchera plus facilement si Cornelius n'est pas à la maison.

— Oui, mais qu'est-ce que tu manigances, au juste ?

Bruits de pas.

— Il vient !

Prise de panique, j'ai tiré la porte de l'armoire surplombant le frigo et j'y ai lancé les œufs, dont les coquilles se sont fracassées, au moment où Cornelius entrait dans la pièce. J'ai toussé pour enterrer le bruit.

— Sale toux que tu as là, Lacey.

— Je crois que je me suis enrhumée chez Mme Rothbottom.

J'ai toussoté encore.

— Nous avons traîné dans la neige sans nos manteaux.

Cornelius a secoué la tête.

— Cette femme est un véritable danger public.

Charlie fixait quelque chose. Mine de rien, j'ai jeté un coup d'œil. Une matière visqueuse et jaunâtre dégoulinait de l'armoire. Toussant comme une enragée, j'ai titubé jusqu'à la table.

— Ciel ! s'est écrié Cornelius. Il faut faire quelque chose.

Il est allé prendre un petit flacon noir dans le frigo.

— Voici qui devrait faire l'affaire.

— Qu'est-ce que c'est ?

— De l'échinacée avec du sceau d'or, de la baptisie des teinturiers, de la myrrhe, de la propolis et du poivre de Cayenne.

— Je… je ne peux pas avaler de pilules… Elles me donnent envie de vomir.

— Aucun problème, a-t-il répondu en dévissant le bouchon. Ce sont des gouttes. Tu peux les mettre sous ta langue ou les diluer dans de l'eau.

Le blanc d'œuf était à deux centimètres de son crâne.

— Sous ma langue !

J'ai crié si fort qu'il a sursauté.

— Très bien.

Il s'est avancé vers moi et l'œuf est tombé sur le revers de son veston. J'ai été si soulagée que j'ai ouvert la bouche.

Ces gouttes, c'était sûrement du poison. Les yeux exorbités, je me suis mise à haleter et à hoqueter, certaine que ma dernière heure avait sonné.

— Je sais, je sais, ça a mauvais goût, a concédé Cornelius en refermant la bouteille. Mais c'est efficace. Tu verras.

Charlie arborait un petit sourire satisfait.

— Tu comprends ce que j'ai ressenti, à présent.

Cornelius apercevrait d'un instant à l'autre les longues traînées gluantes qui pendouillaient toujours. Nous devions faire quelque chose. J'ai agité la tête en direction de la fenêtre.

— Venez vite, Cornelius ! a crié Charlie en courant vers la fenêtre.

Cornelius l'a suivi. Charlie montrait la cour du doigt.

— Regardez !

Pendant qu'ils avaient le dos tourné, j'ai attrapé un linge et fébrilement essuyé le gâchis.

— Qu'est-ce qu'on est censés regarder, au juste ? a demandé Cornelius.

— Vous ne le voyez donc pas ? Un renard gros et gras. Là. Près de la balançoire.

— Un renard ?

Cornelius semblait surpris.

— Il n'y a pas de renard dans la région.

— Eh bien, c'était peut-être… je ne sais pas, moi… une mouffette.

Cornelius a éclaté de rire.

— Si tu veux mon avis, Charlie, c'était plutôt un blaireau, même si, en général, ils se cachent durant la journée. Cet hiver, ces sales bêtes nous ont causé toutes sortes d'ennuis. Elles creusent des galeries partout.

Il allait se retourner. J'agitais follement les bras. Charlie a agrippé Cornelius et l'a obligé à regarder de nouveau.

— Le revoilà !

— Où ça ?

— Là-bas ! Dans l'arbre ! Il fait le poirier !

— *Le poirier ?* Où ?

— Là ! Un, deux, trois, quatre, cinq… À cinq branches du sol, du côté gauche !

— Désolé. Je ne vois toujours rien.

Je me suis éclairci la gorge pour indiquer que l'alerte était passée.

— Il est drôlement futé, ce blaireau, a dit Charlie. Il se cache tout le temps.

— Eh bien, ne sortez pas avant qu'il soit

parti, a lancé Cornelius. Ces animaux sont parfois féroces.

— Comme vous voulez.

Daniel est apparu à la porte.

— Que diriez-vous d'une petite partie de minigolf ?

Nous sommes sortis de la cuisine en courant, Charlie et moi, et nous avons dévalé l'escalier comme si nous étions sincèrement excités à l'idée d'un tournoi. Dès que nous avons mis les pieds dans la salle de jeu, Daniel nous a entraînés dans une pièce cachée par un rideau. C'était une salle de cinéma équipée d'un comptoir derrière lequel il y avait une multitude de tablettes de chocolat, de torsades de réglisse rouge, de bonbons haricots et de sucettes, sans oublier une énorme machine à boules de gomme.

— Tu as trouvé quelque chose ? ai-je demandé.

Daniel semblait triste.

— Vous n'allez pas me croire.

Charlie a ouvert les yeux tout grands.

— Quoi ? Qu'est-ce qu'il y a ?

— J'ai trouvé un grigri…

Charlie a dansé en rond.
— Oui ! Oui ! Je suis libre !
— Attends...
Charlie s'est immobilisé.
— Quoi ?
— Ce n'est pas celui qui te concerne.
— Comment ça ?
Daniel l'a foudroyé du regard.
— Baisse le ton.
— Comment ça ? a répété Charlie d'une voix murmurante.
— Dans un coffret fermé à clé, au fond de la garde-robe de Cornelius, j'ai trouvé un sac noir renfermant des rognures d'ongles, des mèches de cheveux, une paire de gants... et une photo.
— De *qui* ? ai-je demandé.
Il a jeté un coup d'œil par-dessus son épaule et chuchoté :
— Jonathan.

21

— *Oncle Jonathan ?* nous sommes-nous exclamés à l'unisson.

Charlie a crié :

— Pourquoi ? Pourquoi Cornelius aurait-il envoûté oncle Jonathan ?

Je l'ai frappé.

— Chuuut !

— C'est insensé.

— Eh bien… Si la malédiction avait été supprimée, votre oncle aurait pu mener une existence normale, se marier, avoir des enfants, aller et venir à sa guise. Mais le charme, a expliqué Daniel en plissant les yeux, l'a contraint à rester dans cet affreux manoir, entièrement dépendant de Cornelius.

Je n'en croyais pas mes oreilles.

— Cornelius a condamné Jonathan à souffrir sans raison durant toute sa vie.

Daniel a hoché la tête.

— Les événements récents ne font que confirmer ce que je soupçonne depuis quelque temps : Cornelius est fou.

— *Zinzin*, tu veux dire ?

J'ai mis une main sur la bouche de Charlie.

Il s'est dégagé.

— Sortons d'ici ! Sans perdre une seconde. Courons jusqu'au village. On nous aidera sûrement !

— Il faut d'abord trouver le grigri.

Le ton de Daniel était impitoyable.

— Sinon, Mme Rothbottom ne réussira pas à te débarrasser de la malédiction.

— Où est-elle passée, celle-là ? Elle nous a abandonnés chez elle. Elle mijote un mauvais coup. Je le sens dans mes os et mes os ne mentent jamais.

— Charlie a raison, ai-je confirmé. Autrement, pourquoi nous aurait-elle plantés là ?

Les lumières se sont éteintes.

J'ai tressailli.

Une sorte de grondement bas est monté du sol.

— Qu'est-ce que c'est ? a gémi Charlie.

Le bruit s'est amplifié. Puis la pièce a commencé à trembler.

— Matty ! a hurlé Daniel. Arrête ton cirque !

En vain. La salle était secouée si violemment que Charlie et moi avons dû nous cramponner aux fauteuils. C'était comme un tremblement de terre qui s'intensifiait.

— I-l-s p-e-u-v-e-n-t m'a-i-d-e-r !

— Matty !

Daniel avait pris une voix très adulte.

— Sur ta chaise ! Tout de suite !

Aussitôt, les oscillations ont cessé.

Le visage de Charlie était blanc comme un linge.

— Il est parti ?

— Oui. Ça va.

Charlie a balayé les environs des yeux.

— Pourquoi lui ordonne-t-on de retourner s'asseoir ?

— Le mouvement le réconforte.

Soudain, les rideaux se sont ouverts et une chaise berçante a volé vers nous. Charlie et moi nous sommes écartés de sa trajectoire en criant. Elle a traversé Daniel avant de se briser contre le mur. Puis Matty s'est matérialisé devant nous. D'une voix stridente, il a crié :

— J-e v-e-u-x r-e-n-t-r-e-r c-h-e-z m-o-i!

Les yeux de Charlie ont roulé dans leurs orbites et il s'est évanoui.

— Encore ! Charlie… Charlie !

Je me suis accroupie à côté de lui.

— Daniel…

Il avait disparu.

Charlie revenait à lui.

— Je suis là, Charlie. Comment te sens-tu ?

— Qui était-ce ?

J'ai remonté ses lunettes et je l'ai aidé à se relever.

— Matty. Charlie tremblait.

— Comme si nous n'avions pas déjà assez d'ennuis comme ça…

Il a tendu la main vers une tablette de chocolat.

— Qu'est-ce qu'on va faire, Lacey ?

— D'abord, trouver la source de ton envoûtement.

Il a pris une énorme bouchée.

— En nous voyant fouiller partout, Cornelius va se méfier.

Il a attrapé une autre tablette de chocolat.

— J'ai une idée ! me suis-je exclamée.

— Laquelle ?

— Toi, tu occupes Cornelius et moi, j'effectue des recherches.

— Comment ? a-t-il demandé entre deux morceaux.

— Joue avec lui… Aux cartes, aux charades ou à autre chose.

— C'est tout ce que tu as à me proposer ? Tu veux que je distraie un fou ?

— Il n'est pas fou.

— Ce n'est pas ce qu'a dit Daniel !

— Daniel n'a pas la science infuse. Certaines personnes sont folles de jalousie, mais ça ne signifie pas qu'elles sont complètement maboules. C'est Mme Rothbottom qui a raison : Cornelius souffre de solitude. Et, pour cette raison, il fait des choses idiotes.

— Bien essayé. Mais je n'ai toujours pas envie de jouer avec lui.

— Eh bien, je ne vois pas d'autre solution. Tu en as une meilleure ? Je t'écoute.

Les rideaux se sont ouverts.

— Minigolf ! a sifflé Daniel.

Nous avons couru jusqu'au parcours, Charlie et moi. Daniel nous a lancé des bâtons et nous nous sommes mis à jouer.

— Bravo ! a lancé Daniel en applaudissant.

Il était assis sur un moulin à vent. Cornelius s'est approché.

— J'ai oublié de vous demander si vous aviez déjeuné chez Mme Rothbottom.

— Non, a répondu Charlie. Et je meurs de faim… Je suis sur le point de défaillir.

— De quoi avez-vous envie ?

Charlie allait ouvrir la bouche, mais je l'ai pris de vitesse.

— Du pain doré. Nous aimerions beaucoup avoir du pain doré.

Cornelius a hoché la tête.

— Entendu. Le repas sera servi dans onze minutes et demie.

— Merci. Vous êtes extraordinaire.

Après le départ de Cornelius, Charlie s'est tourné vers moi.

— À quoi tu joues ?

— Il n'y a plus d'œufs, tu te souviens ?

— Dans ce cas, comment va-t-il préparer ton pain doré ?

— Justement !

Charlie a froncé les sourcils.

— Justement quoi ?

— Il va devoir sortir pour en acheter, ai-je dit. Pendant ce temps, nous pourrons chercher.

— Pas bête, celle-là, a fait Daniel.

Deux ou trois minutes plus tard, Cornelius était de retour.

— J'étais certain d'avoir des œufs, mais je n'en trouve plus un seul. Je peux vous proposer autre chose ?

— Ah, misère de misère ! s'est écrié Charlie. Moi qui rêvais de manger du pain doré.

J'ai baissé la tête comme si j'étais très déçue, moi aussi.

— C'est notre plat préféré.

— Dans ce cas, a déclaré Cornelius, je descends au village. Aucun problème.

— Vous feriez ça pour nous ? a demandé Charlie en souriant.

— Avec plaisir.

— Vous êtes génial, Cornelius. Vraiment super.

Cornelius a remonté les marches. Nous avons attendu un moment, puis nous avons traversé la salle de jeu au pas de course, gravi l'escalier et tendu l'oreille. En entendant la voiture s'avancer vers l'avant du manoir, nous avons jeté un coup d'œil par une fenêtre. Cornelius s'éloignait.

— Il est parti. On se sépare, Charlie, et on se met au travail. On a quinze minutes.

Daniel est apparu.

— Nous avons un peu plus de temps. J'ai planté un clou dans un des pneus. Après le trajet jusqu'au village, il sera plat comme une de ses crêpes.

— Bravo !

Charlie a levé le bras pour que Daniel lui tape dans la main, mais ce dernier a semblé perplexe.

— Bon, ai-je dit. Charlie, tu t'occupes du rez-de-chaussée. Moi, je prends l'étage. Daniel, tu te charges des tablettes en hauteur et tu regardes dans les endroits auxquels nous n'avons pas accès.

Nous sommes partis chacun de notre côté.

22

À l'étage, j'ai songé qu'il était inutile de fouiller la chambre d'oncle Jonathan : c'était le dernier endroit où Cornelius aurait caché quelque chose.

Je suis passée à la suivante. J'ai vite compris que c'était celle de Cornelius. La garde-robe était pleine d'uniformes de majordome. Elle renfermait aussi les chaussures les mieux cirées que j'aie vues de ma vie.

Une tête a traversé le mur, et j'ai tressailli.

Daniel a souri.

— Pas la peine de regarder ici. J'ai déjà vérifié.

Sa tête s'est éclipsée.

Je m'apprêtais à sortir lorsqu'une photo en noir et blanc scotchée au dos de la porte a attiré mon attention. Quatre garçons souriaient. L'aîné semblait avoir quatorze ou quinze ans. Il serrait les plus petits dans ses bras.

— Daniel ? ai-je appelé.

Son visage est sorti du plafond.

— Cornelius et ses frères, a-t-il expliqué.

— Mais il a dit que…

— Il a menti.

Daniel s'est évanoui de nouveau.

— Pourquoi ? ai-je crié.

Cette fois-là, Daniel est apparu tout entier.

— Cornelius en parle rarement. Après la mort de ses parents, il a dû s'occuper de ses frères. Un jour, il y a eu un incendie, et ils ont tous péri, sauf lui. Il ne se l'est jamais pardonné.

— C'était sa faute ?

— Il s'est endormi en laissant une chandelle allumée. Les rideaux ont pris feu et la maison s'est embrasée comme un briquet.

— C'est affreux !

— Oui. Mais le drame explique aussi son besoin obsessionnel de s'occuper des autres.

— Mme Rothbottom soutient qu'il n'est pas fou et qu'il se sent seul.

— Elle a raison, bien sûr. J'ai un peu exagéré.

— Ça ne justifie rien, évidemment, ai-je dit. Le traitement qu'il a réservé à oncle Jonathan, je veux dire.

— Merci, Lacey.

— De quoi ?

Daniel s'est éclairci la gorge.

— De ta gentillesse pour ton oncle. Tu ne l'as même pas connu.

— Je sais distinguer le bien du mal. Et Cornelius a mal agi.

— Pour Jonathan, il est trop tard. Mais nous pouvons aider ton frère. Continuons nos recherches, d'accord ?

Il a disparu.

J'ai fouillé la chambre suivante, regardé sous le lit, dans les tiroirs et même dans le foyer. En ouvrant ce que j'avais pris pour une garde-robe, je suis tombée sur une verrière remplie d'une multitude de plantes. Toutes mortes.

D'énormes toiles d'araignée traversaient la pièce et tapissaient les fenêtres. Si les toiles étaient si grandes…

J'ai reculé d'un pas. Trop tard !

Des araignées.

Elles s'avançaient vers moi ! *Par milliers !*

J'ai claqué la porte, mais elles se sont faufilées par-dessous. En trépignant, j'en ai tué le plus possible, mais il en venait toujours d'autres ! Avant de perdre la tête, j'ai pris quelques oreillers sur le lit et je les ai plaqués contre l'ouverture.

Lentement, j'ai retiré mes mains.

Encore d'autres araignées !

J'ai poussé plus fort. Le flot s'est arrêté. Balayant la pièce des yeux, j'ai vu quelques bûches à côté de l'âtre. Du pied, j'en ai fait rouler une sur les oreillers. La barrière était étanche. Pour le moment, du moins.

Sortie de la chambre en courant, je suis entrée dans une autre, en face. Près de la fenêtre, une porte était surmontée d'un écriteau qui disait : ESCALIER 5. Je suis montée. Au bout d'une quinzaine de marches, je me suis heurtée à un mur de briques.

Une trappe s'ouvrait dans le parquet de la pièce suivante. ESCALIER 12, annonçait la plaque en laiton posée au ras du sol. Une volée de marches conduisait dans un espace minuscule, décoré comme une maison de poupée.

J'ai bien regardé. Pas de grigri. Je suis remontée.

Au moment où je refermais la trappe, j'ai entendu des pas. Cornelius était-il déjà de retour ?

— Où es-tu, Lacey ?

C'était Charlie.

— Ici.

Il est entré, un énorme rouleau sur les bras.

— Regarde ça.

Il a déroulé l'objet sur le lit.

— C'est un arbre généalogique. Tout le monde est là : grand-papa, grand-maman et leurs parents, nos oncles et nos tantes, et ici, a-t-il précisé en montrant du doigt, c'est maman, papa et toi.

Il a désigné un carré vide.

— Ma photo n'est pas là.

— Je parie qu'elle est dans le grigri, ai-je dit.

— Moi aussi.

La fenêtre s'est mise à trembler, puis, sous nos yeux, la vitre s'est embuée.

Charlie a agrippé mon bras.

— Qu'est-ce qui se passe, Lacey ?

Avant que j'aie eu le temps de répondre, trois mots sont apparus.

VENEZ VOIR DEHORS.

Nous sommes descendus en courant et nous sommes sortis dans la cour. Nous nous serions crus dans un nuage.

— D'où vient ce brouillard, Lacey ?

— Je ne sais pas.

— Il n'était pas là avant.

— I-l y a u-n m-a-r-é-c-a-g-e t-o-u-t p-r-è-s.

Nous nous sommes retournés.

Un garçon a émergé de la brume.

— J-e m'a-p-p-e-l-l-e M-a-t-t-y.

— Tu es… l'autre fantôme ?

La voix de Charlie était à peine audible.

— O-u-i.

J'ai avalé ma salive.

— Tu sais où est le grigri ?

— O-u-i.

— Tu veux bien nous guider jusqu'à lui ?

— O-u-i, à c-o-n-d-i-t-i-o-n q-u-e v-o-u-s m'a-i-d-i-e-z.

J'ai froncé les sourcils.

— Comment ?

— L-i-b-é-r-e-z-m-o-i.

— Tu es un spectre, a rappelé Charlie.

Comment veux-tu que nous te « libérions » ?

— Je crois qu'il veut parler de Mme Rothbottom.

— E-l-l-e a l-e p-o-u-v-o-i-r d-e l-e f-a-i-r-e.

— D'accord, ai-je déclaré. Si tu nous montres le grigri, nous demanderons à Mme Rothbottom de t'aider.

— P-r-o-m-i-s ?

Après avoir échangé un regard, nous nous sommes tournés vers Matty.

— Juré.

23

Flottant devant nous, Matty nous entraînait de plus en plus profondément dans le jardin.

— Tu crois qu'on peut se fier à lui ? a chuchoté Charlie. Il a le regard fuyant.

Matty s'est retourné et nous a fixés avec insistance.

— J-e s-u-i-s d-i-g-n-e d-e c-o-n-f-i-a-n-c-e !

— Désolé, a glapi Charlie.

Matty est resté beaucoup trop longtemps les yeux rivés sur nous. J'étais sur le point d'agripper Charlie par le bras et de décamper, lorsque le fantôme s'est retourné et a poursuivi son chemin.

Nous l'avons suivi, mais je voyais bien que cette idée était loin d'enchanter Charlie. Elle ne me plaisait pas non plus. Peut-être Matty était-il le véritable fou de la bande.

La neige crissait sous nos pas. Le froid était mordant, et je regrettais de ne pas avoir pris mon manteau, mais il était trop tard. De toute façon, il est inutile de se plaindre. C'est ce que papa répétait toujours. J'aurais tant voulu qu'il soit là. Il se serait occupé de nous.

— Lacey ?

— Ouais ?

— Tu crois qu'il nous emmène au marécage ?

— Je ne sais pas.

— Je n'ai pas envie d'y aller. Si on tombe dans l'eau, on n'en ressort jamais.

— Non, ça, ce sont les sables mouvants.

— Ah bon ?

Nous avons poursuivi.

— Tu crois qu'il y a des sables mouvants en Angleterre ?

— Pas chez les gens.

— Bien. Excellent. Est-ce qu'on peut rentrer ? S'il te plaît ?

— *Non*, Charlie. Impossible. Nous devons trouver le sac. Continue de marcher.

C'est ce que nous avons fait.

— Les marais sont maléfiques.

Charlie se parlait à lui-même.

— Je le sens dans mes os et mes os ne mentent jamais.

Assez loin de la maison, nous avons commencé à apercevoir des formes oblongues recouvertes de toile. On aurait dit des momies enveloppées dans des bandages.

— J'ai la frousse, a avoué Charlie en claquant des dents.

— Moi aussi.

Soudain, mon frère a poussé un cri.

— Ça bouge ! C'est vivant !

— C'e-s-t s-e-u-l-e-m-e-n-t l-e v-e-n-t, C-h-a-r-l-i-e.

Cette fois, la voix de Matty était empreinte de bonté.

— D-e-s a-r-b-u-s-t-e-s p-r-o-t-é-g-é-s c-o-n-t-r-e l'h-i-v-e-r. I-l-s n-e p-e-u-v-e-n-t p-a-s t-e f-a-i-r-e d-e m-a-l.

J'ai regardé de plus près. Matty avait raison.

Il s'est remis en marche.

— Matty ?

Il s'est immobilisé.

— Qui ne disait pas la vérité ?

— J'a-i p-r-o-m-i-s d-e n-e p-a-s l-e d-i-r-e.

— À qui ?

— J-e d-o-i-s t-e-n-i-r p-a-r-o-l-e.

— Depuis combien de temps es-tu ici ?

— T-r-e-n-t-e-n-e-u-f a-n-s.

— Tu veux rire ? s'est exclamé Charlie. Il y a *trente-neuf ans* que vous êtes venus dans l'espoir de trouver le trésor ?

— I-l n'y a p-a-s d-e t-r-é-s-o-r.

Les yeux de Matty étaient très tristes.

— L-a f-a-i-m p-o-u-s-s-e p-a-r-f-o-i-s à f-a-i-r-e d-e-s b-ê-t-i-s-e-s.

Sans savoir pourquoi, j'ai lâché :

— Nous sommes pauvres, nous aussi.

C'était la stricte vérité, mais jamais encore je n'avais prononcé les mots à voix haute.

— D-a-n-s c-e c-a-s, v-o-u-s c-o-m-p-r-e-n-e-z.

— Oui.

Matty a laissé les arbustes derrière. Nous le suivions, et nos pieds s'enfonçaient profondément dans la neige. J'ai pensé aux fois où maman s'était couchée le ventre vide pour que nous ayons à manger, mon frère et moi. Les gens qui répètent que l'argent ne fait pas le bonheur n'ont sans doute jamais connu la faim.

— Où nous emmène-t-il ? a demandé Charlie en frottant ses bras déjà raidis. Pourquoi faut-il aller si loin ?

— Je l'ignore. Mais il sait où est le grigri et j'ai confiance en lui.

Matty a fini par s'arrêter.

— Où sommes-nous, Matty ?

— D-a-n-s l-e c-h-a-m-p d-e m-a-ï-s.

— Est-ce que le sac est ici ?

Lentement, Matty a levé la main et indiqué une direction.

— C-o-r-n-e-l-i-u-s a m-a-r-c-h-é d-a-n-s c-e r-a-n-g.

En nous rapprochant, Charlie et moi avons distingué des tiges desséchées.

— Les rangées s'étirent à l'infini, ai-je dit. As-tu vu où il l'a mis ?

— L-e c-h-a-m-p n'a-p-p-a-r-t-i-e-n-t p-a-s a-u m-a-n-o-i-r. J-e n-e p-e-u-x p-a-s m'a-v-a-n-c-e-r p-l-u-s.

Charlie m'a regardée.

— C'est aussi ce que Daniel a dit, non ? Qu'il devait rester au manoir ou dans la voiture.

— C-o-r-n-e-l-i-u-s n'e-s-t p-a-s a-l-l-é t-r-è-s l-o-i-n.

Nous nous sommes avancés. Les feuilles nous égratignaient le visage.

— Moi qui pensais que les agriculteurs coupaient les plants de maïs avant l'hiver, a grommelé Charlie.

Le brouillard était si épais que nous avons dû nous accroupir pour mieux voir. De longues feuilles ratatinées jonchaient le sol.

Au bout d'une vingtaine de plants, nous nous sommes demandé si nous étions au bon endroit.

— Je ne vois pas de grigri.

Je repoussais la neige, les mains engourdies par le froid.

Nous nous éloignions de plus en plus. Charlie s'est mis à souffler comme une baleine, signe de son exaspération.

— Nous perdons notre temps, Lacey, a-t-il dit en donnant un grand coup à un plant séché.

— Le grigri est forcément par ici. Matty a vu Cornelius l'apporter. Il ne s'est tout de même pas volatilisé.

— Peut-être qu'un animal l'a pris.

— Il n'y avait pas de nourriture dans le sac. Pourquoi une bête s'y serait-elle intéressée ?

— Aucune idée ! a hurlé Charlie. Je me demande même pourquoi une *personne* en voudrait. Tout ce que je sais, c'est que, sans l'écharpe et les cheveux, nous n'avons rien à jeter dans la stupide rivière et que je vais rester maudit pour toujours !

Il était sérieusement en voie de perdre son sang-froid.

— *Et je n'ai rien fait !*

Il a donné un coup de pied dans une tige.

— *Pourquoi faut-il qu'une chose pareille m'arrive ?*

Il a décampé.

— Où vas-tu ?

J'ai tenté de le suivre, mais, dans un tel brouillard, je ne voyais rien.

— Charlie !

Je me frayais un chemin au milieu des plants de maïs en m'efforçant de ne pas perdre pied sur le sol inégal.

— Charlie !

J'ai été attirée par un objet au ras du sol. Un objet rouge.

— J'ai trouvé, Charlie !

Je l'ai entendu revenir en courant.

— Par ici !

Lorsqu'il a émergé de la brume, j'ai brandi le sac.

Il me l'a arraché des mains et l'a ouvert.

— Mon écharpe !

Pendant qu'il tirait dessus, un bout de papier est tombé sur le sol.

— Ta photo ! Celle de l'arbre généalogique !

Charlie l'a prise et l'a contemplée pendant un long moment.

— C'est presque terminé, Lacey, non ?

— Je l'espère, en tout cas.

Il a tout remis en place avant de tirer sur le cordon.

Nous avons repris notre marche dans la neige. Il y avait longtemps que nous ne nous étions pas sentis aussi bien. Puis nous avons entendu un craquement.

Charlie a gémi.

Encore un bruit, mais plus fort cette fois.

— Quelque chose s'approche, a murmuré mon frère.

— Qui va là ? ai-je crié.

C'est alors que nous avons aperçu une silhouette.

Longue et noire.

Elle a plané au-dessus du sol, puis elle s'est mise à ramper comme un serpent. Charlie tremblait si fort qu'il a laissé échapper le grigri.

La chose s'est élancée, a gobé le sac et s'est enfuie dans la brume en ondulant.

24

— L-a-c-e-y! C-h-a-r-l-i-e!

C'était Matty.

— L-a-i-s-s-e-z-v-o-u-s g-u-i-d-e-r p-a-r m-a v-o-i-x!

Sans trop savoir comment, j'ai réussi à me remettre en marche et à entraîner Charlie à ma suite. Nous avons retrouvé Matty au bord du champ.

— Il y a quelque chose là-bas, ai-je dit. Quelque chose d'horrible.

— Q-u'a-v-e-z-v-o-u-s v-u?

J'ai décrit la créature noire qui s'était emparée du grigri.

— Il n'a j-a-m-a-i-s r-i-e-n f-a-i-t d-e t-e-l.

— *Qui* ça?

Au lieu de répondre, Matty a lancé:

— N-o-u-s d-e-v-o-n-s r-a-m-e-n-e-r C-h-a-r-l-i-e à l-a m-a-i-s-o-n.

Matty nous a guidés dans le brouillard. J'ai obligé Charlie à marcher devant moi. Ainsi, je l'avais à l'œil. En longeant les arbustes recouverts de toile, je n'ai pu m'empêcher de penser : « *D'un instant à l'autre, une main va surgir du néant et m'agripper.* »

C'est précisément ce qui est arrivé.

— Matty ! ai-je hurlé.

La bâche s'est déchirée et un corps est tombé à mes pieds.

J'avais devant moi un vieux visage ratatiné. Le plus ancien que j'aie vu. Charlie criait de façon incontrôlable.

Daniel est apparu soudain.

— Ramenons-le !

J'ai saisi Charlie. Lorsque j'ai réussi à le faire entrer dans le manoir, il avait dépassé le stade des vociférations. Il regardait devant lui, fixement.

Je l'ai aidé à s'asseoir et Daniel a mis une couverture sur ses épaules.

— Est-ce que tu pourrais l'hypnotiser ?

L'aider à oublier ce qu'il a vu ?

— Il est fermé comme une huître, imperméable à toute forme de suggestion.

— Il faut parler du cadavre à quelqu'un.

— Non, a dit Daniel, le visage dur.

— Non ? Pourquoi ? Ce vieillard a été *assassiné*.

— Mais non, Lacey. Il était déjà mort.

— *Quoi ?*

— Je ne peux pas en dire plus.

Daniel s'est éclipsé.

— J'appelle la police !

Il est revenu aussi sec.

— Si des policiers débarquent, ils ne verront que Charlie et toi, et ils vous emmèneront. Ils ne laisseront pas deux enfants tout seuls. Et quand tu leur raconteras que Charlie doit dormir dans l'eau chaque soir, faute de quoi il se flétrira avant de mourir, ils vous mettront chez les fous. Si c'est ce que tu veux, vas-y. Je ne te retiens pas.

Je me suis laissée tomber dans un fauteuil et j'ai enfoui la tête dans mes mains. C'en était trop.

— T-é-l-é-p-h-o-n-e à M-m-e R-o-t-h-b-o-t-t-o-m, a suggéré Matty en traversant l'embrasure de la porte en vol plané.

— Mais bien sûr !

J'ai balayé les environs des yeux.

— Où est l'appareil ?

Daniel a foncé dans un coin de la pièce décorée pour Noël et a montré un rideau de velours bleu foncé.

— Regarde derrière.

J'ai tiré. Le téléphone était posé par terre.

— Pourquoi là ?

— Cornelius ne pouvait pas prendre le risque que Charlie ou toi appeliez à l'aide.

J'ai sorti de ma poche le numéro de Mme Rothbottom et je l'ai composé. Dring, dring, interminablement. *Répondez, s'il vous plaît.* Peine perdue. Lorsque le répondeur s'est déclenché, j'ai laissé un message : nous avions trouvé le grigri, mais la silhouette noire l'avait subtilisé. Je la suppliais de nous rappeler le plus vite possible.

— C'est Robert qui a le sac ? a demandé Daniel avant même que j'aie raccroché.

Sa voix trahissait la peur.

— Tu veux dire que cette chose était Robert ? Il est dans le grenier ! C'est un spectre !

— Les esprits prennent de multiples formes, Lacey. Et ils se déplacent à leur gré.

Des geignements nous sont parvenus.

— Tu as entendu, Daniel ?

— Je ne suis pas sourd.

Nous avons contourné le sapin de Noël. Matty contemplait le foyer. Le son provenait de l'intérieur des flammes.

D'autres gémissements.

Daniel et Matty ont eu un mouvement de recul.

— C'est lui, non ?

Lentement, Daniel a hoché la tête.

En voyant leur terreur, j'ai senti la colère me traverser de part en part et je me suis mise à crier :

— Tout ça, c'est à cause de vous, Robert !

— Chut, Lacey, a fait Daniel d'une petite voix.

— On vous a trahi ? Et alors ? Chaque jour, des milliers de personnes subissent le même sort ! Elles ne maudissent par leurs semblables pour autant ! Encore moins des innocents ! *Il ne vous a rien fait, non ?*

Les bruits se sont amplifiés.

Daniel s'est rapproché de moi.

— Il est fâché.

— Ah, il est fâché, lui ? Ça tombe bien, moi aussi !

Je tremblais, mais pas de peur. Je haïssais Robert… À cause des tortures qu'il avait infligées à oncle Jonathan, de celles qu'il faisait subir à Charlie, à Daniel et à Matty.

Je me suis penchée sur le foyer.

— Vous voulez qu'on vous affronte ? D'accord ! Je m'en charge !

— Lacey, a dit Daniel d'une voix glacée. C'est une très mauvaise idée.

— Pourquoi ? Le sang des Darcy coule aussi en moi.

— Tu ne te rends pas compte. Tu risques la *mort*.

— Vous ne saviez pas à quoi vous attendre, Matty et toi. Vous avez été pris par surprise.

— Jonathan était au courant, lui.

La précision m'a refroidie, mais pas pour longtemps. Je me suis dirigée vers la porte.

— Tu le regretteras.

— L-a-i-s-s-e-l-a a-l-l-er.

— Toi, retourne sur ta chaise.

Je ne me suis même pas donné la peine de regarder par-dessus mon épaule.

— Il l'a cassée. Tu te souviens ?

— Il y a une multitude de pièces ! a crié Daniel. Sans parler des *escaliers* ! Comment vas-tu t'y prendre pour trouver la bonne ?

J'ai franchi le seuil.

— L-a p-i-è-c-e r-o-n-d-e, a chuchoté Matty.

25

Une fois dans la pièce circulaire, j'ai entrepris l'ascension de l'escalier. J'avais l'impression que les gémissements résonnaient juste devant moi. J'avais peur, très peur, mais j'ai quand même poursuivi.

Je suis passée devant la porte aménagée dans le mur de briques, qui était restée ouverte. Ce n'était pas la bonne. Il fallait que je monte. Les greniers sont toujours en haut.

Le bruit s'est encore amplifié.

Après une vingtaine de marches, les ténèbres étaient si épaisses que j'y voyais à peine. Je ne me suis pas arrêtée pour autant.

— Je viens vous affronter, Robert ! Exactement comme vous le souhaitiez !

Soudain, le vacarme s'est interrompu, comme si quelqu'un avait appuyé sur un bouton.

Mon esprit s'affolait. Peut-être Robert n'était-il pas là, après tout. Et si j'avais affaire à un magnétophone ou à un objet grinçant ?

— Quelle ruse stupide ! ai-je crié. Il n'y a personne là-haut.

J'ai vite franchi le reste de la distance.

Au moment où je posais le pied sur le seuil, une vague de frayeur a déferlé sur moi. J'avais peine à respirer, et mon cœur battait si fort que j'ai failli perdre connaissance. J'ai dû m'adosser au mur pour éviter de tomber. J'avais le visage inondé de sueur. Puis j'ai senti une vive douleur dans ma poitrine. Je me suis pliée en deux, haletante.

Alors j'ai compris.

J'avais une crise cardiaque.

J'ignore comment, mais, en titubant, j'ai réussi à redescendre dans la pièce ronde. Tant bien que mal, je me suis dirigée vers l'escalier en colimaçon, dont j'ai agrippé la rampe. Tandis que les yeux du portrait d'oncle Jonathan se posaient sur moi, j'ai revu en un éclair le visage du mort du champ de maïs.

Je me suis arrêtée tout net.

— C'était… c'était *vous* !

— Je me demandais combien de temps tu mettrais à comprendre.

Lentement, Daniel s'est matérialisé à côté de moi.

— Le corps que nous avons vu dehors était celui d'oncle Jonathan ! Comment est-ce possible ? Il est mort depuis un mois !

— Non, a dit Daniel. Il a rendu l'âme il y a deux jours.

— *Quoi ?*

— Moins d'une heure avant votre arrivée.

— Mais la lettre concernant le testament…

— Elle avait pour but de vous attirer ici.

Je me suis laissée tomber sur une marche.

— Jonathan tenait par-dessus tout à vous parler de la malédiction en personne et à préparer Charlie au sort qui l'attendait. Le temps lui a manqué.

J'ai secoué la tête dans l'espoir de mettre un peu d'ordre dans ces révélations.

— Cornelius ne voulait surtout pas d'une ambulance devant la porte lorsque le taxi vous déposerait. Les questions auraient été trop nombreuses.

— Alors il a caché le cadavre dehors ?

Daniel a fait signe que oui.

— Il savait que le froid le préserverait. La chaleur ne réussit pas tellement aux cadavres.

J'ai levé les yeux sur le tableau représentant mon oncle. Il avait l'air si triste.

— Il savait qu'il était sur le point de mourir et que la malédiction serait transmise au prochain mâle de la famille. Il se torturait à cette idée parce que Charlie n'était qu'un garçon innocent. C'est pour cette raison qu'il est remonté dans le grenier *après* avoir envoyé l'invitation. Seulement, cette fois-là, il était trop vieux et beaucoup trop affaibli.

J'avais du mal à trouver mes mots.

— Il y a là-haut quelque chose de maléfique.

— Je sais… Et votre oncle était au courant, lui aussi. Mais il tenait à protéger Charlie, à lui épargner une vie comme la sienne.

— Quand a-t-il mis les renseignements sur la malédiction dans la bouteille ?

— Quelques minutes avant de mourir. C'est une bouteille ensorcelée qui répète les mots qu'on lui confie. Hélas, Charlie l'a cassée avant d'avoir entendu tout ce que Jonathan avait à dire.

Le téléphone a sonné.

J'ai dévalé les marches et couru dans la salle aux décorations de Noël.

— Allô ? Madame Rothbottom ?

Je lui ai tout raconté, même la présence du corps de Jonathan dans le champ de maïs et mon incursion dans le grenier.

— *Quelle imprudence de monter là-haut sans protection !*

— Qu'aurais-je pu faire d'autre ?

— Où est Cornelius ?

— Au village.

— Écoute-moi bien, Lacey. Charlie et toi devez quitter cette maison *immédiatement*.

— Mais…

— *Sortez de là !*

J'ai jeté le combiné et filé dans la cuisine. Charlie avait disparu.

J'ai foncé vers la porte.

— Charlie ! Où es-tu ?

Pendant que je galopais vers la salle de jeu, Matty est apparu devant moi. Le souffle coupé, j'ai eu un mouvement de recul.

— E-n h-a-u-t.

Vite, j'ai regagné le rez-de-chaussée et attaqué quatre à quatre les marches de l'escalier en colimaçon. Sur le palier, Charlie, armé d'un couteau, éventrait le portrait d'oncle Jonathan.

— Arrête, lui ai-je ordonné en l'attrapant par le bras. Ça suffit comme ça !

— *Je ne veux plus être maudit !*

— Je sais, je sais.

Charlie, se dégageant, est monté à l'étage au pas de course. Je l'ai suivi dans la chambre d'oncle Jonathan. Horrifiée, je l'ai vu lever le bras au-dessus du lit d'eau.

— J'aime mieux mourir tout de suite que de dormir dans ce machin-là jusqu'à la fin de mes jours !

— Charlie, nooon !

Il a frappé violemment. La lame a entaillé plusieurs fois la doublure et le cadre en cuir. Tandis que l'eau jaillissait, je l'ai désarmé.

— Je comprends ce que tu ressens, mais…

— *Non, tu ne comprends pas ! Tu n'es pas touchée, toi !*

J'ai lancé le couteau.

— Écoute-moi bien. Il faut que nous sortions d'ici.

— Pour quoi faire ? Nous n'avons nulle part où aller.

— Mme Rothbottom nous attend. Elle a trouvé une solution. Nous devons quitter la maison avant le retour de Cornelius…

— Charlie ? Lacey ?

— Il est de retour, ai-je murmuré.

Nous avons entendu les marches grincer.

26

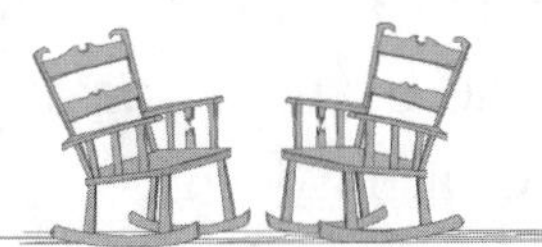

— Charlie !

Cette fois, le ton de Cornelius était cassant.

Charlie s'est cramponné à moi.

— Il a sûrement vu le tableau ! Comment va-t-il réagir devant le lit ?

— La fenêtre !

Nous nous y sommes précipités. Il n'y avait qu'un seul loquet, mais nous avons eu beau le tourner de toutes nos forces, il a refusé de céder.

Dans l'escalier, les grincements s'intensifiaient. Les pas de Cornelius se rapprochaient. Puis nous avons vu la poignée tourner.

Des sirènes ont retenti. Au loin, des gyrophares s'avançaient dans le brouillard.

— La police ? Qu'est-ce qu'elle vient faire ici, Lacey ?

Nous avons entendu les marches craquer de nouveau. Cornelius rebroussait chemin.

— Mme Rothbottom a dû prévenir les autorités de la présence d'un cadavre dans le champ.

Je me suis bien gardée de lui apprendre que c'était celui d'oncle Jonathan.

— Nous devrions déjà être partis. Si les policiers nous trouvent ici, ils nous emmèneront !

— Cornelius ne leur dira peut-être pas que nous sommes là.

— Nous ne pouvons pas courir ce risque !

Charlie faisait les cent pas en se tordant les mains.

— Cette baraque grince de partout. Impossible de descendre en douce.

— C'est hors de question, ai-je dit en essayant encore une fois d'ouvrir la fenêtre. Il y a un balcon.

— Ah bon ? Et après, on s'envole ?

— Sois positif, Charlie.

— Ouais, évidemment. Voilà la réponse à tout.

J'ai fait une nouvelle tentative, toujours en vain.

— Essaie avec ça, a proposé Charlie en me tendant le tisonnier en laiton du foyer.

J'ai cogné contre le loquet. Après trois coups, il a fini par se décoincer.

À quatre pattes, nous nous sommes avancés sur le balcon au milieu des lierres touffus. Nous ne pouvions pas sauter de si haut, mais des colonnes entourées de plantes grimpantes descendaient jusqu'au sol.

Je me suis tournée vers Charlie.

— Tu te souviens de *Jack et le haricot magique* ?

— Tu vas descendre *en rampant* ?

— Exactement. Et toi aussi, d'ailleurs.

J'ai fait passer une jambe par-dessus la balustrade.

— Suis-moi.

Charlie s'est penché, a regardé en bas et a secoué la tête.

— Je ne pourrai pas, Lacey.

— Bien sûr que tu peux !

— Regarde-moi ! Est-ce que mon corps a l'air de pouvoir faire ça ?

— Tu n'as qu'à bien t'accrocher. Les plantes sont solides. Elles vont tenir.

— Je suis trop gros !

— Mais non !

— C'est au-dessus de mes forces, Lacey !

La porte de la chambre s'est ouverte avec fracas.

— Ils essaient de fuir ! a crié un policier.

À leur vue, Charlie s'est pratiquement envolé. De ses mains potelées, il a agrippé les lierres et a entrepris la descente. Ne me demandez pas comment, mais il est arrivé en bas avant moi.

En touchant le sol, nous avons détalé. À mi-chemin de l'allée, nous avons entendu une voiture.

— Ils arrivent ! s'est exclamé Charlie.

— COURS !

Malgré nos vaillants efforts, l'auto nous a rattrapés avant de tourner sur elle-même et de s'immobiliser. Une voiture de police.

— Vous n'irez pas loin à pied, a constaté Daniel en baissant la vitre.

Une seconde plus tard, il était sorti et tenait la portière du conducteur ouverte.

— Les policiers fouillent le champ de maïs. Ils ne mettront pas beaucoup de temps à trouver le cadavre.

J'ai bondi sur la banquette avant, puis je me suis poussée de côté.

— Qu'est-ce que tu fabriques, Lacey ?

— D'après toi ? Je me sauve !

— Mais… mais… tu es prête à voler une voiture de police ?

— Je ne dirai rien, a déclaré Daniel en souriant.

— Monte, Charlie ! Dépêche-toi !

Il s'est installé derrière le volant.

— Allez chez Mme Rothbottom, a suggéré Daniel. Cette femme est votre seul espoir.

— Viens avec nous, a lancé Charlie d'une voix suppliante.

— Tu oublies que je ne peux pas sortir d'ici. D'ailleurs, ça va barder, et je m'en voudrais de rater ça.

Daniel a souri en claquant la portière.

— N'oubliez pas de m'écrire !

— Quoi ? a demandé Charlie en remontant ses lunettes sur son nez.

— Débarrasse-toi de cette malédiction et nous vivrons heureux jusqu'à la fin des temps.

Il a disparu.

Charlie a appuyé à fond sur l'accélérateur et nous sommes partis en trombe. Au bout de l'allée, il s'est engagé sur la route du pont. Pendant que les planches sautillaient sous les pneus, nous avons aperçu une voiture venant en sens inverse.

— C'est Mme Rothbottom ! ai-je crié. Arrête !

Charlie a freiné si brusquement que nous avons failli passer à travers le pare-brise. Mme Rothbottom s'est immobilisée à son tour.

En nous voyant courir vers elle, elle nous a lancé :

— Qu'est-ce que vous faites avec une voiture de police ?

— C'était le seul moyen de sortir de là ! s'est exclamé Charlie. Nous avons été interpellés par des policiers.

— Montez, a dit Mme Rothbottom en esquissant un geste de la tête.

Nous nous sommes assis sur la banquette à côté d'elle.

— Ça va, vous deux ?

— Oui, ai-je répondu, mais je me demande ce qui va arriver à Cornelius.

— On s'inquiétera de son sort plus tard.

Sur la route du village, je me suis retournée.

Je n'ai vu que du brouillard.

27

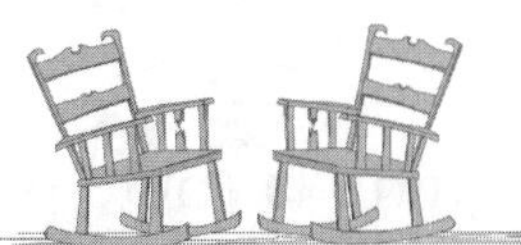

— Pourquoi nous avez-vous abandonnés ce matin ? a demandé Charlie à Mme Rothbottom.

— Pour réunir les ingrédients nécessaires à la suppression du sortilège. Je vous ai dit que je n'en avais plus assez pour une nouvelle tentative.

Il a semblé soulagé.

— Vous avez cru que je vous avais laissés tomber ?

— Moi ? Jamais de la vie. Mais Lacey se faisait du souci.

Je lui ai donné un coup de coude.

— Je termine toujours ce que j'ai commencé, a affirmé Mme Rothbottom.

Je me suis penchée.

— Nous n'avons pas le grigri. Comment allez-vous faire ?

— Nous passons au plan B.

Lequel ? J'ai attendu que Mme Rothbottom s'explique, mais elle n'a rien ajouté.

Mme Rothbottom a quitté la route principale et, après avoir emprunté deux ou trois rues du village, s'est arrêtée devant un magasin qui annonçait : DE TOUT POUR TOUS.

— Comme l'esprit de Robert est désormais actif, a-t-elle dit, nous n'avons plus affaire à une simple malédiction. L'heure est grave.

Charlie a écarquillé les yeux.

— Cette chose noire était *Robert* ?

— Je le crois, a répondu Mme Rothbottom en coupant le moteur. Tu as bien dit que Robert avait maudit ton oncle le jour où il a été pendu, n'est-ce pas, Lacey ?

— Oui.

Elle a plissé les yeux.

— Les malédictions proférées juste avant la mort sont les plus tenaces.

— Pourquoi ? a demandé Charlie.

— Parce que toute l'énergie vitale de leur auteur y est concentrée.

Mme Rothbottom s'est calée sur son siège.

— Les pièces du casse-tête commencent à s'ordonner. Votre oncle s'est établi à Hampton Hollow, le village où habitait Catherine Manridge. C'est logique. Il aimait tellement cette femme qu'il l'a suivie jusqu'ici. Mais, à cause du sort dont il était victime, il a dû se contenter de l'adorer à distance.

Elle a ouvert la portière.

— Allons faire des courses.

Charlie s'est tourné vers moi.

— *Des courses ?*

À notre entrée, la cloche accrochée à la porte a tinté. Nous avons vu d'innombrables rangées de tables couvertes de bric-à-brac, le genre de machins qui restent après une vente de débarras.

— Qu'est-ce que nous cherchons, au juste ? a demandé Charlie.

— Une poupée, des miroirs et de la colle.

— Vous plaisantez ?

— Je ne plaisante jamais.

Charlie a murmuré :

— Elle est complètement folle.

— Et je ne suis pas sourde, a répliqué Mme Rothbottom.

Charlie a plissé les yeux.

— Voulez-vous bien me dire ce que nous allons faire avec une poupée, madame Rothbottom ?

— Tu verras.

Nous l'avons suivie dans des allées si étroites que nous devions nous y engager de côté. Je faisais sans cesse tomber des objets que je devais ensuite ramasser. Mme Rothbottom s'est enfin arrêtée devant une table sur laquelle des poupées s'empilaient. Certaines étaient en bon état, d'autres, dépourvues de bras ou de jambes. Il y en avait même une dont la tête avait été arrachée.

Après les avoir examinées, Mme Rothbottom a lancé :

— Monsieur Hopkins ?

Un homme aux cheveux gris broussailleux s'est approché en boitant.

— En quoi puis-je vous être utile, madame Rothbottom ?

— Auriez-vous une poupée garçon, par hasard ?

— Il n'y a pas beaucoup de demande pour ce genre d'article.

— Et pourtant, il m'en faut une.

M. Hopkins a pris une boîte en carton sur une tablette et l'a mise sur la table. Elle était remplie de poupées aux formes et aux couleurs les plus diverses. À mes yeux, elles avaient toutes l'air féminines.

— Ah, ah ! s'est-il exclamé en en saisissant une, vêtue d'un costume de matelot. Que pensez-vous de ceci ?

Mme Rothbottom a souri.

— En plein ce qu'il me faut, monsieur Hopkins.

Ensuite, nous avons pris deux pots de colle.

— Et maintenant, passons aux miroirs, a lancé Mme Rothbottom en fonçant de l'autre côté.

Après avoir fouillé un peu partout, nous avons fini par en dénicher plusieurs, aux cadres noirs luisants.

— Écoutez-moi bien, a dit Mme Rothbottom. Ne regardez pas dans les miroirs. Compris ?

Nous avons hoché la tête.

Elle a posé un mouchoir sur celui du dessus et demandé à Charlie de soulever la pile. Puis elle a choisi trois miroirs au fond et les a retournés.

— Tiens-les face vers le bas, a-t-elle ordonné en les tendant à Charlie. Et surtout, ne regarde pas dedans.

De retour chez elle, nous avons réparti nos achats sur la table, les miroirs toujours face vers le bas. Puis Mme Rothbottom est sortie. Elle est revenue avec un marteau et une boîte à chaussures pleine de cartes et de lettres. Elle l'a vidée dans un bol en bois et l'a mise de côté.

— Voici le plan B, a-t-elle déclaré.

Le secret nous serait enfin révélé.

— Comme nous n'avons pas réussi à *supprimer* la malédiction qui pesait sur ton oncle Jonathan et qui t'a été transmise, Charlie, nous allons la *renverser*.

Charlie a remonté ses lunettes.

— La *renverser* ?

— Je connais une formule magique très puissante qui renverra le sortilège et l'énergie négative qui s'y rattache vers son auteur.

— Et il suffit de ces trucs pour y parvenir ?

— Absolument.

Mme Rothbottom lui a tendu les miroirs.

— Casse-les. Ne te gêne surtout pas.

Sans poser de questions, Charlie a frappé le dos de chacun à l'aide du marteau.

— Ah ! Ça fait du bien.

— Maintenant, étalez la colle sur le fond de la boîte et mettez les morceaux dessus. Couvrez la plus grande surface possible. Ne regardez pas dans les fragments et ne vous coupez pas. Il ne faut pas verser une seule goutte de sang.

Pendant que nous nous exécutions, Mme Rothbottom a sorti quelques petits flacons bruns de ses armoires. Dès que nous avons eu fini, elle a déshabillé la poupée et l'a couchée dans la boîte.

— On dirait un cercueil minuscule, a constaté Charlie.

— En plein dans le mille, a-t-elle lancé. Maintenant, il nous faut un objet ayant appartenu à Robert.

— Où allons-nous en trouver un ? a demandé Charlie sur un ton geignard. Il est mort il y a soixante-dix ans.

— Les femmes gardent des souvenirs.

— Quelles femmes ?

— Catherine Manridge, par exemple.

— Elle est encore vivante ? ai-je demandé.

— Non. Mais sa nièce, Lavinia, se porte à merveille. Avec un peu de chance, elle aura conservé quelques-uns des effets de sa tante.

Mme Rothbottom a téléphoné. Charlie et moi touchions du bois. Environ une demi-heure plus tard, nous avons frappé à la porte du petit pavillon en pierre où habitait Lavinia. Nous avons entendu des voix d'enfants, puis une femme à l'air las, la taille ceinte d'un tablier, nous a ouvert. Elle avait un bébé dans les bras. Réunies autour d'elle, quatre petites filles nous regardaient.

— Bonjour, Lavinia, a dit Mme Rothbottom. Voici les jeunes gens dont je vous ai parlé.

— Oui, bien sûr. Entrez donc.

Elle a poussé les gamines devant elle dans le couloir et leur a proposé d'aller jouer gentiment. Puis elle nous a entraînés dans un escalier sombre. Au sous-sol, elle a ouvert une porte qui donnait sur une pièce remplie de vêtements entassés sur de vieux canapés, de chaises empilées jusqu'au plafond et d'une multitude de cartons, de livres et de jouets.

— Ça n'a pas été sans mal, a expliqué Lavinia, mais j'ai fini par mettre la main sur une boîte à chapeau ayant appartenu à ma tante. Quelques-unes de ses affaires s'y trouvent.

Elle m'a tendu le bébé avant de prendre une boîte ronde, de couleur vert pâle, sur une pile de décorations de Noël. Elle l'a remise à Mme Rothbottom.

— Il y a peut-être autre chose. Fouillez où vous voulez.

— Notre requête a dû vous sembler plutôt bizarre, ai-je dit.

Elle a hoché la tête.

— J'ai été un peu surprise.

— Merci de nous accueillir chez vous, a fait Charlie.

Lavinia a souri. Elle a aussitôt paru moins fatiguée.

— Je n'avais pas pensé à tante Catherine depuis une éternité, nous a-t-elle confié. Après sa mort, ma mère s'est sentie si seule qu'elle n'a plus voulu habiter leur maison. Elle est venue vivre avec nous. En faisant le ménage de son grenier, nous avons trouvé cette boîte.

C'était sans doute impoli de ma part, mais je n'ai pas pu m'empêcher de poser la question.

— Catherine s'est-elle mariée ?

Lavinia a secoué la tête.

— Robert a été son unique amour.

La petite a commencé à pleurer. Je l'ai bercée dans mes bras, mais elle a pleuré deux fois plus fort.

— Drôle de coïncidence que vous soyez venus aujourd'hui, a lancé Lavinia en la reprenant.

— Pourquoi ? a demandé Mme Rothbottom.

— Eh bien, nous sommes le 16 mars. Le jour où Robert a été pendu.

28

Il y a eu un boum sonore et l'une des petites s'est mise à hurler. Lavinia a roulé les yeux.

— Ce que je donnerais pour un moment de paix… Il vaut mieux que j'aille rétablir l'ordre. Un de ces jours, mes filles risquent de s'entretuer.

Dès que Lavinia a eu disparu, Mme Rothbottom a fondu sur la boîte verte. Elle contenait des photos en noir et blanc, des lettres retenues par un ruban rose et de nombreuses roses séchées rangées dans des sacs en plastique.

Sur la plupart des photos, on voyait Catherine à l'époque où elle était petite, avec ses parents ou sa sœur. Nous avons fini par en trouver une d'elle à l'âge adulte. Elle se tenait debout à côté d'un homme aux cheveux bruns. Ils avaient l'air heureux.

— Je me demande s'il s'agit de Robert Collins, a dit Mme Rothbottom.

Elle a retourné l'image.

— Ahh ! Parfait.

Elle nous a montré la légende inscrite au verso : « Dimanche au parc… Le jour où Robert m'a demandée en mariage. »

Elle a glissé la photo dans sa poche.

— Vous la volez ? ai-je murmuré.

— Absolument pas. Je vais prévenir Lavinia avant de partir. Si j'y pense.

— Regardez, s'est écrié Charlie en brandissant un cahier. Elle tenait un journal intime.

Mme Rothbottom a eu un large sourire.

— Parcours-le. Tu apprendras peut-être quelque chose d'intéressant.

— Comme quoi, par exemple ?

— Aucune idée.

— Alors comment voulez-vous que je sache ce qui pourrait être utile ?

Elle a pointé l'index vers lui.

— Lis.

Pendant que Charlie se mettait au travail, j'ai fouillé dans la pile et découvert un mouchoir violet bordé de petites roses brodées, une bague ornée d'une perle, des rubans et des lettres.

— Que cherchons-nous au juste, madame Rothbottom ?

— Un objet personnel ayant appartenu à Robert.

— Vous pensez vraiment que Catherine a conservé des cheveux ou des rognures d'ongles de son fiancé ?

— Peut-être pas, mais il faut dénicher quelque chose pour la boîte aux miroirs. Sinon, la malédiction ne peut pas être renversée.

Nous avons tout examiné avec soin, Mme Rothbottom et moi, mais nous n'avons trouvé aucun objet typiquement masculin.

— Hé ! a fait Charlie, tout excité. Écoutez ça.

Au moment où il commençait à lire, la porte s'est ouverte. L'une des filles a passé la tête dans l'entrebâillement et nous a tiré la langue en louchant.

Lavinia est apparue derrière elle.

— Vous voulez du thé ? J'en prépare du frais.

Mme Rothbottom a souri.

— C'est trop aimable. Merci.

La porte s'est refermée.

Mme Rothbottom est redevenue sérieuse.

— Qu'as-tu trouvé, Charlie ?

— « Le vendredi 15 mars. J'ai rendu visite à Robert en prison pour la dernière fois. Notre peine était si profonde que nous en étions muets. J'ai séché ses yeux avec mon mouchoir violet. Ces larmes sont tout ce qu'il me reste de lui. »

— Dès que la photo de Robert et le mouchoir seront dans la boîte, nous serons prêts à commencer, a déclaré Mme Rothbottom dans la voiture. À la tombée de la nuit, nous apporterons la boîte au cimetière et nous l'enterrerons.

— Pourquoi faut-il que tout se passe dans l'obscurité ? a gémi Charlie. On ne pourrait pas profiter de la lumière du jour pour changer ?

— Le voile qui sépare ce monde-ci de l'autre est plus mince dans les ténèbres.

— Qu'est-ce que ça signifie ?

— Simplement, mon cher Charlie, qu'il est plus facile d'accomplir des exploits surnaturels quand l'énergie des humains est à son plus bas et celle des esprits à son sommet.

Nous l'avons fixée, Charlie et moi.

— L'énergie des *esprits* ?

— Je vous expliquerai plus tard. Ne vous tracassez donc pas pour rien.

— Ouais, pas de problème, a dit Charlie en se tournant vers moi. Puisqu'elle insiste, je ne vais surtout pas m'en faire pour quelques petits fantômes de rien du tout.

De retour chez Mme Rothbottom, nous avons fini d'assembler la boîte. Elle a ordonné à Charlie de découper la tête de Robert sur la photo et de la coller sur le visage de la poupée. Ensuite, mon frère a brandi le fruit de son labeur.

— Ça donne froid dans le dos, non ?

— Bah, a répondu Mme Rothbottom en lui tendant le mouchoir. Remets la poupée dans la boîte et pose ceci à côté.

Elle a pris deux flacons bruns sur le comptoir et les a glissés dans la poche de son chandail.

— Qu'est-ce que c'est ? ai-je demandé.

— Du poivre de Cayenne et du soufre. Des substances très puissantes.

À vingt-deux heures trente, nous sommes montés dans la voiture de Mme Rothbottom. Elle nous a appris que le gardien de nuit effectuait sa dernière ronde à dix heures. À notre arrivée au cimetière, il ronflerait dans son lit.

Nous avons pris à droite et, au sommet d'une côte, nous sommes passés à côté d'un camion garé près des portes du cimetière.

— Il est encore ici ! s'est exclamé Charlie. Je savais bien que quelque chose irait de travers. Je le sentais dans mes os et mes os ne mentent jamais.

Je me suis tournée vers Mme Rothbottom.

— Qu'est-ce qu'on fait ?

Elle a éteint les phares et, lentement, a guidé la voiture derrière une rangée d'arbres.

— Nous attendons.

— Pendant combien de temps ? Il faut que Charlie soit dans l'eau à minuit.

— Je doute beaucoup que M. Thatcher s'attarde si longtemps.

— Qu'en savez-vous ?

Charlie semblait préoccupé.

— Il pourrait bien passer la nuit ici. Qu'est-ce qui l'en empêche ?

— Mme Thatcher, pour commencer. S'il traîne, elle va lui tirer les oreilles.

Nous avons patienté.

Charlie consultait fébrilement sa montre.

— Allons plutôt dans un autre cimetière, a-t-il proposé.

— Le prochain est à plus d'une heure de route, a répliqué Mme Rothbottom. Nous n'avons pas assez de temps.

— Alors on reste ici à se tourner les pouces ?

— Exactement. Pendant que nous y sommes, je dois vous dire quelque chose. Ainsi, le moment venu, vous serez prêts.

— Ça s'annonce bien, ai-je dit à voix basse.

— Dans le cimetière, nous aurons peut-être besoin d'aide.

— Et *qui* va voler à notre secours, au juste ? a demandé Charlie.

— Les esprits des morts.

— Content d'avoir posé la question, a glapi Charlie en enfouissant la tête dans ses mains.

— Le cimetière en est rempli.

Mon frère a laissé entendre un drôle de petit cri aigu.

— En réalité, ils sont partout dans le monde, mais ce sont ceux d'ici qui nous prêteront main-forte. Au besoin.

Mue par la colère, je n'ai pas pu me retenir.

— Vous avez dit qu'il suffisait d'enterrer la boîte !

— Oui… et aussi de prononcer une courte incantation magique, a répondu Mme Rothbottom d'une voix douce.

Dans l'espoir de me calmer, j'ai respiré profondément.

— Et quel est le rôle des esprits ?

— Empêcher celui de Robert d'intervenir.

— Le fantôme de Robert est dans le grenier du manoir de Blaxston !

Je m'énervais de nouveau.

— Avec un peu de chance, il y restera. Cependant, il est possible, même si le risque est minime, qu'il tente de prévenir l'inhumation.

Charlie a agrippé le bras de Mme Rothbottom.

— Comment ?

— Je n'en suis pas certaine.

— Me voilà rassuré.

— Je ne sais pas au juste comment il s'y prendra, mais, à supposer qu'il se manifeste, il cherchera à empêcher que la boîte soit mise en terre. Nous poursuivons l'objectif contraire. Il faut que l'ensevelissement se fasse dans les règles. Si j'ai besoin d'un coup de pouce de la part des esprits, je suis prête à les dédommager.

Je l'ai regardée droit dans les yeux.

— Avec quoi ?

— Des pièces de monnaie. Je les lancerai par-dessus mon épaule en les invitant à me soutenir.

J'ai secoué la tête.

— En quoi l'argent peut-il leur être utile ?

— Là n'est pas la question. Il y va d'un certain équilibre. On ne doit rien prendre sans donner quelque chose en retour.

— Regardez !

Charlie montrait le cimetière.

Nous avons vu une lueur franchir le portail. La lampe de poche de M. Thatcher…

— Ce n'est pas trop tôt, a soufflé Mme Rothbottom.

L'homme s'est dirigé vers son camion et a jeté un sac à l'arrière. Puis il est monté à bord et a mis le contact. Au lieu de partir, il est entré dans le cimetière.

29

— Où va donc ce vieil abruti ? a demandé Mme Rothbottom sur un ton brusque.

Les feux arrière rouges du camion de M. Thatcher ont disparu.

— Charlie, prends la pelle. Nous n'avons plus une minute à perdre.

Charlie est allé chercher l'outil dans le coffre, puis nous avons suivi Mme Rothbottom et sa lampe de poche, dont le faisceau éclairait le terrain en sautillant.

— Où enterrerons-nous la boîte ? ai-je demandé une fois dans l'enceinte.

— Dans un endroit où on ne risque pas de la retrouver facilement.

Elle marchait d'un pas leste dans un sentier sinueux. Soudain, elle s'est arrêtée et, bifurquant à gauche, a pris un raccourci entre des pierres tombales. Le jet lumineux dansait au-dessus d'elles.

Mme Rothbottom a parcouru une bonne distance avant de s'engager dans une pente à pic. Là, elle a perdu pied et elle est tombée.

— Ça va ? a demandé Charlie.

— Très bien. Je ne suis pas blessée.

Nous l'avons aidée à se relever et nous sommes descendus à sa suite.

— C'est ici qu'on trouve les plus vieilles sépultures. Les gens s'aventurent rarement de ce côté.

Elle a aplati la neige en tapant du pied.

— Qu'est-ce qu'elle fait ? ai-je murmuré à l'oreille de Charlie.

— Peut-être qu'elle danse.

Elle s'est avancée jusqu'à une pierre tombale particulièrement grande, au bout de la rangée. Elle a recommencé à piétiner la neige.

— Ici.

Elle a dardé le faisceau sur le visage de Charlie.

— Creuse.

Le sol était dur, mais, après deux ou trois essais, la pelle l'a entamé. Charlie repoussait la terre sur le côté.

— Parfait, a déclaré Mme Rothbottom.

Elle a sorti les flacons bruns de sa poche et s'est agenouillée. Nous nous sommes accroupis à côté d'elle.

— Soulève le couvercle, Charlie, et ne regarde pas dans les miroirs.

Mme Rothbottom lui a ensuite tendu les bouteilles et lui a ordonné de les vider sur la poupée.

— Pourquoi ne vous en chargez-vous pas vous-même ?

— C'est ton énergie à toi qui doit régir le rituel. Vas-y.

En commençant par la tête, là où était la photo de Robert, Charlie a répandu le poivre de Cayenne et le soufre sur la poupée.

Une fois les flacons vidés, Mme Rothbottom a fermé les yeux, pris trois profondes inspirations et expiré en soufflant doucement.

— Ici tu es, Robert Collins, et ici tu resteras. À partir de ce jour, que les difficultés que tu as créées, les malédictions que tu as proférées et les pensées mauvaises que tu as eues et que tu auras reviennent vers toi, de la même façon que ces miroirs te renvoient ton image. Et ici tu demeureras, Robert Collins, jusqu'au jour où tu te soumettras au jugement dernier.

Les yeux de Mme Rothbottom se sont ouverts tout grands.

— Vite, dépêche-toi de remettre le couvercle !

Jetant les bouteilles, Charlie s'est aussitôt exécuté.

Mme Rothbottom lui a tendu un bout de ficelle et lui a dit d'attacher le tout le plus solidement possible.

Charlie a fait deux ou trois tours avec la corde et un triple nœud.

— Faut-il l'enterrer ?

— Oui.

Charlie a déposé la boîte dans le trou.

Mme Rothbottom a de nouveau fermé les paupières.

— *Que le sort dont est victime Jonathan Darcy remonte à sa source, là d'où il est venu, et qu'il reste à jamais auprès de celui qui l'a jeté.*

Elle s'est tournée vers Charlie.

— Enterre la boîte.

Charlie a jeté de la terre dessus jusqu'à

ce qu'elle soit entièrement recouverte. Alors, Mme Rothbottom a lentement déclamé :

— *Ce qui... a été... fait... est... maintenant... défait.*

Elle s'est remise debout et, les bras en l'air, a regardé le ciel.

Que ce terrible sort soit levé
Et ses victimes libérées.
En ce lieu sacré,
Reviens, ô esprit,
À la place qui t'est allouée.
Pardonne les offenses
Et dissipe cette incantation...

Mme Rothbottom nous a entendus pousser un cri.

Puis elle a vu ce qui nous avait troublés.

La boîte remontait !

30

— Arrêtez-la !

Nous avons plongé sur la boîte miniature, Charlie et moi.

— Ne la laissez pas s'ouvrir ! a crié Mme Rothbottom.

Nous nous y sommes accrochés le plus longtemps possible, mais le couvercle a commencé à bomber. Quelque chose cherchait à s'échapper.

Mme Rothbottom nous a ordonné de repousser l'objet sous terre.

Malgré nos efforts, la boîte refusait d'obéir !

Mme Rothbottom a bougé les mains d'une drôle de façon en proclamant à pleins poumons :

— J'invite les esprits de la nuit à nous aider à mener cette inhumation à bien.

Nous avons entendu un bruit rappelant les craquements du papier dans les flammes. De longues silhouettes noires ont jailli des tombes et se sont mises à flotter au-dessus d'elles.

Charlie a crié avant de tomber à la renverse. J'ai essayé de retenir la boîte, mais elle était trop forte pour moi.

— Aidez-nous ! ai-je supplié.

Les formes n'ont pas bougé.

Mme Rothbottom a sorti des pièces de monnaie de sa poche. Au moment où elle allait les lancer, son corps s'est soulevé et a été propulsé vers l'arrière, telle une poupée de chiffon. Elle a heurté une pierre tombale avec un bruit sourd et s'est étendue de tout son long.

— Madame Rothbottom ! a crié Charlie.

— Tiens la boîte, Charlie ! ai-je hurlé.

— J'ai peur.

— TIENS-LA !

Il l'a saisie et je me suis jetée sur les pièces.

Pas assez vite, hélas.

Le cercueil minuscule a explosé.

Tous les objets qu'il renfermait ont commencé à voler dans les airs, se sont mis à planer comme au ralenti. La poupée a atterri sur le sol et a rebondi à trois ou quatre reprises avant de retomber dans le trou.

Venue des profondeurs des ténèbres, une voix grave s'est élevée.

— Je vous attends.

Les esprits ont levé les bras et sont rentrés dans leurs tombes.

Une autre voix a résonné.

— Qui va là ?

En nous retournant vivement, Charlie et moi avons aperçu une lumière jaunâtre qui scintillait dans la nuit.

— Viens, Charlie !

Mon frère a couru jusqu'à Mme Rothbottom et a tenté de la soulever.

— Nous ne pouvons pas l'abandonner ici !

— Il le faut ! Il est presque minuit !

La lueur se rapprochait.

— Charlie !

Mme Rothbottom a gémi, puis ses yeux se sont entrouverts.

— Foncez, a-t-elle murmuré.

— Viens, Charlie ! M. Thatcher arrive. Il va lui donner un coup de main.

Je l'ai entraîné. Nous avons parcouru le cimetière et franchi le portail.

Dans la voiture, Charlie a cherché les clés à tâtons. Il a mis le contact et, après avoir décrit un ample arc de cercle, il a descendu la côte. Il tremblait tellement que son pied glissait sans cesse sur l'accélérateur. La voiture était violemment secouée, mais nous sommes quand même parvenus à un embranchement.

— De quel côté ?

Charlie pleurait et criait.

Je me suis creusé les méninges.

— Nous avons pris à droite pour gravir la colline. Il faut donc tourner à *gauche*. À gauche toute, Charlie !

Il a effectué le virage et, peu de temps après, nous avons aperçu des lumières au loin. Sur la grand-route, nous avons traversé le village et foncé vers le manoir.

Dans l'allée, nous avons constaté que toutes les lumières étaient éteintes. Sans exception.

Charlie a fait le tour du bâtiment. La porte était verrouillée.

Tandis que je secouais la poignée, il a consulté sa montre.

— Il est minuit moins vingt. Comment allons-nous entrer ?

J'ai regardé autour de moi et j'ai trouvé une pierre. Je l'ai lancée le plus fort possible dans la fenêtre voisine de la porte, qui s'est cassée.

La tête de Daniel s'est faufilée par le trou.

— Il suffisait de frapper, tu sais.

— Robert est intervenu, ai-je expliqué. Il nous a empêchés d'aller jusqu'au bout.

Daniel a hoché la tête.

— Je m'en doutais.

— Ouvre ! a crié Charlie. Il faut que je m'installe dans la baignoire !

Daniel a disparu et nous avons entendu le verrou glisser. À l'intérieur, nous avons lancé nos manteaux et couru à l'étage. Les marches étaient trempées par l'eau qui s'était échappée du lit d'oncle Jonathan et nos pieds glissaient.

— Où est Cornelius ? ai-je demandé.

— Les policiers l'ont emmené.

— Ce n'est pas lui qui a tué oncle Jonathan !

— Ils ne le considèrent pas comme un suspect, Lacey. Ils cherchent juste à éclaircir l'affaire. Il sera bientôt de retour.

À l'étage, nous sommes passés en coup de vent devant la chambre de notre oncle. Il y avait, au fond, une salle de bains équipée d'une très grande baignoire. Lorsque j'ai tourné le robinet, seul un horrible gargouillis a retenti.

J'ai eu un mouvement de recul et j'ai poussé un hurlement.

— Quoi ? a pleurniché Charlie.

Je me suis agenouillée de nouveau, mais le robinet tournait dans le vide. Puis il s'est mis à trembler follement. Le bruit s'amplifiait. Soudain, le mur a commencé à se lézarder. Charlie et moi avons fait un pas en arrière. La fissure est montée en zigzag, puis l'eau a jailli.

Charlie a levé les bras pour se protéger.

— Qu'est-ce qui se passe, Lacey ?

— Allez dans la salle de bains du rez-de-chaussée ! a lancé Daniel au milieu du vacarme. Vite !

Charlie et moi avons dévalé l'escalier. Nous avons ouvert la porte avec fracas.

À notre entrée, la pièce a été secouée si fort que le lavabo s'est détaché du mur.

J'ai tourné les robinets de la baignoire. Nous avons entendu les mêmes borborygmes, puis les murs ont commencé à gondoler. À vue d'œil.

J'avais compris. C'était l'œuvre de Robert. Il tenait à ce qu'on l'affronte. Cette nuit-là.

— Je vais mourir ! s'est exclamé Charlie. Je vais mourir !

31

J'ai poussé Charlie dans le couloir et claqué la porte.

— Je connais un autre moyen, ai-je dit.

— De quoi ?

— De supprimer la malédiction. Je ne t'ai pas parlé du deuxième volet du sortilège.

— Qu'est-ce que tu attends ?

Il tremblait tant qu'il avait peine à se tenir debout.

— Robert a dit : « *Chaque soir de ta vie, jusqu'au jour où tu trouveras le courage de m'affronter, tu dormiras dans l'eau, sans quoi ton corps se ratatinera et tu mourras.* » Ces mots aussi faisaient partie de la malédiction.

— *L'affronter ?* Comment oncle Jonathan aurait-il pu faire une chose pareille puisque Robert est mort ?

— L'esprit de Robert s'est attaché à oncle Jonathan et l'a suivi jusque chez lui.

— *Ici ?*

— Oui.

— Et il attend toujours la visite d'oncle Jonathan ?

J'ai secoué la tête.

— Oncle Jonathan… est mort.

Charlie a écarquillé les yeux.

— Il veut me voir, *moi* ?

— Désolée, Charlie. Comme il n'y a pas d'eau où dormir, tu n'as pas le choix.

Il avait le visage livide.

— Matty ! ai-je crié.

Moins d'une seconde plus tard, le garçon était à côté de nous.

— Raconte-nous ce qui s'est passé dans le grenier.

— I-l n'y a p-a-s d-e m-o-t-s p-o-u-r e-x-p-r-i-m-e-r m-a f-r-a-y-e-u-r.

— Trouves-en !

— I-m-p-o-s-s-i-b-l-e.

— Dis-nous ce que tu as vu !

— D-e l'o-b-s-c-u-r-i-t-é. Q-u-e d-e-s t-é-n-è-b-r-e-s.

— On ne meurt pas d'obscurité ! me suis-je écriée.

— J'a-i p-e-u-r d-u n-o-i-r.

— Comme tout le monde !

Puis la lumière s'est faite en moi, à la vitesse de l'éclair.

Tout le monde a peur du noir ! Se pouvait-il que l'explication soit si simple ? Était-ce ce que Robert avait voulu faire vivre à oncle Jonathan ? *La terreur ?*

Daniel s'est matérialisé à côté de Matty.

— Bien vu, Lacey.

— J'ai raison, non ? C'est ce qu'a ressenti Robert lorsqu'on lui a passé la corde autour du cou. *De la frayeur.*

— Une frayeur *inimaginable.*

— Robert a voulu que Jonathan éprouve la même chose.

Daniel a opiné du bonnet.

— Et c'est pour cette raison qu'il a prononcé la malédiction… contre moi.

— *Toi ?*

Le fantôme de Daniel a commencé à grandir. Sous nos yeux horrifiés, il s'est allongé, allongé… Ses traits ont vieilli, ses rides se sont creusées.

Au terme de la métamorphose, oncle Jonathan se tenait devant nous.

— Qu'avez-vous fait de Daniel ? ai-je crié d'une voix stridente.

Tristement, oncle Jonathan a secoué la tête.

— Il n'y a pas de Daniel. J'ai pris l'apparence d'un jeune garçon pour que vous ayez moins peur.

— *Pourquoi ?* a couiné Charlie. Pourquoi vous êtes-vous transformé en fantôme ?

— À ma mort, mon esprit a refusé de s'en aller. Je ne m'étais pas acquitté de mon devoir.

— Affronter Robert ?

Oncle Jonathan a fait signe que oui.

— Malgré son innocence, il a subi un sort ignoble qu'il ne méritait pas.

— Pourquoi avoir agi de la sorte, dans ce cas ? ai-je demandé. Pourquoi avoir menti à son sujet ?

— La jalousie est un monstre brutal. J'ai trahi mon meilleur ami, pris sa vie, mais aussi tout ce qu'il aimait. Je suis impardonnable.

Il a baissé la tête.

— Impardonnable.

— Vous avez mal agi, oncle Jonathan. Et maintenant vous récidivez avec *Charlie*.

Il y avait tant de douleur dans ses yeux que je ne pouvais pas me résoudre à le regarder en face.

— J'ai tout fait pour vous aider. Je croyais sincèrement que la malédiction pouvait être supprimée. Je suis désolé.

J'ai agrippé Charlie par le bras et je l'ai entraîné dans le couloir.

Derrière nous, oncle Jonathan sanglotait.

32

— Je ne peux pas affronter un esprit, Lacey !

— Il le faut, sinon tu vas mourir. Et ça, je ne le permettrai pas.

— Si je t'écoute, je vais y laisser ma peau ! C'est ce qui est arrivé à oncle Jonathan. Et à Matty !

— Cette fois, les choses seront différentes.

— Comment ? En quoi ?

Je me suis immobilisée.

— Je vais être avec toi.

La gorge de Charlie s'est serrée.

— Tu… tu vas m'accompagner ?

J'ai hoché la tête.

— Mais d'abord, il nous faut des chandelles.

— Pour quoi faire ?

J'ai couru dans la salle aux décorations de Noël. Sous mes pieds, la moquette m'a fait l'effet d'une éponge. En baissant les yeux, j'ai constaté qu'il y avait de l'eau partout.

— Regarde ! s'est exclamé Charlie.

Il montrait un radiateur sur le mur du fond. On aurait dit qu'un fleuve noir s'en écoulait.

— Vite, ai-je crié en courant prendre deux chandelles sur le manteau de la cheminée. Il nous faut aussi des allumettes.

— Là !

Charlie en a pris une boîte à côté du foyer.

— Qu'est-ce qu'on va en faire ?

— Tu te rappelles ce qu'a dit Matty ? Les ténèbres l'ont terrifié. Mais si nous apportons de la lumière, nous aurons moins peur. Il n'y aura plus d'obscurité, tu comprends ?

— Qu'est-ce qui va empêcher Robert de nous tuer, même s'il fait clair ?

— Il n'a rien à nous reprocher. C'est oncle Jonathan qui l'a trahi. Pas nous. Il n'a pas trouvé le courage d'affronter son ami. Nous l'aurons, nous.

— Pensons-y bien. Il y a peut-être une autre solution.

J'ai jeté un coup d'œil à l'horloge de parquet. Il était minuit moins cinq.

— Désolée, Charlie. Le temps nous manque.

Charlie et moi avons vite gravi l'escalier en colimaçon et couru dans le couloir. Devant la porte de la pièce circulaire, nous nous sommes arrêtés. J'ai senti les poils se dresser sur ma nuque.

— J'ai peur, Lacey, a dit Charlie d'une voix lointaine.

— Moi aussi.

Nous avons ouvert la porte et nous sommes entrés.

À tâtons, j'ai cherché l'interrupteur et allumé. J'ai montré le chemin à Charlie.

— Escalier 13 !

Charlie était sur le point de s'enfuir, mais je lui ai mis la main au collet.

— Nous n'avons pas le choix, Charlie. On ne peut pas accéder au grenier autrement.

— Le 13 porte malheur ! Tout le monde sait ça !

— C'est juste un chiffre.

— Oui, mais… le 13 ! Pas question que je monte là-haut !

Je l'ai secoué avec force.

— Réfléchis, Charlie. Il n'y a plus d'eau. Tu vas te ratatiner et mourir !

Sans doute ai-je réussi à lui faire entendre raison, car il s'est un peu calmé et a fixé l'escalier.

— Tu… tu viens toujours avec moi ?

J'ai confirmé d'un geste de la tête.

— Tu es mon frère.

Il a esquissé un petit sourire et sorti les allumettes de sa poche. Il a allumé sa chandelle, puis la mienne.

Plus nous montions, plus Charlie avait peur.

— Impossible. Je n'y arriverai jamais.

— Mais si, Charlie. Tu y arriveras.

La chandelle tremblait dans sa main.

— Je hais cette maison. Je la déteste.

— Demain, nous rentrons chez nous. Promis. Allez.

J'avais gravi une douzaine de marches lorsque je me suis rendu compte que Charlie n'était plus à côté de moi.

— Que se passe-t-il encore ?

Il avait le regard affolé.

— Mes jambes refusent d'avancer !

Je suis redescendue d'un pas lourd.

— Qu'est-ce que tu racontes ?

— J'essaie ! Je te le jure !

— Il faut pourtant continuer ! Nous n'avons plus de temps, Charlie !

— Je sais, je sais ! Mais c'est plus fort que moi !

— Force-toi un peu !

Charlie a obéi, mais ses jambes pesaient comme du plomb.

— Je suis paralysé !

Il a commencé à pleurer.

— Ta tête te joue des tours, Charlie ! Tes jambes n'ont rien. J'en suis sûre.

— C'est à elles qu'il faut le dire !

J'ai consulté ma montre.

— *Nous n'avons plus qu'une minute, Charlie !*

— Je vais mourir !

J'ai tenté de le tirer de toutes mes forces, mais il était cloué sur place.

— Je ne vois pas d'autre solution, Charlie !

— Va-t'en, Lacey ! Sauve-toi !

— Pas question !

Les sanglots de Charlie ont redoublé d'intensité.

Il fallait que je réfléchisse, que je déjoue son esprit. Puis la lumière s'est faite dans le mien.

— Dix fois dix ?

— Pardon ?

— Dix fois dix, Charlie. Réponds.

— Tu es folle ou quoi ?

— *Eh bien ?*

— *Cent.* Et alors ?

— Trente-neuf moins onze ?

Sous l'effort, Charlie a froncé les sourcils.

— Vingt-huit.

— Quarante-cinq plus neuf ?

— Euh… euh… cinquante-trois.

— Presque.

Pendant que Charlie cherchait la réponse, j'ai glissé ma main sous son bras.

— Cinquante-quatre !

— Très bien ! Bravo !

Ses jambes ont commencé à bouger.

— Huit fois douze ?

Les problèmes d'arithmétique lui ont occupé l'esprit, comme les énigmes à bord de l'avion.

Nous sommes arrivés en haut, mais Charlie tremblait tellement qu'il a laissé tomber sa chandelle. Elle s'est éteinte et elle a dégringolé les marches.

— Nooon !

— Ça va, Charlie. C'est bon. J'ai toujours la mienne.

Devant nous se dressait une vieille porte fissurée dont la peinture était presque tout écaillée.

— Il faut entrer, Charlie. Je suis là, juste à côté de toi.

J'ai tendu la main, puis je l'ai retirée avant de l'essuyer sur mon chandail. J'ai répété le même geste. J'ai mis mes doigts sur la poignée et tourné.

L'horloge de parquet a commencé à sonner très fort.

— *Il est minuit !* a crié Charlie.

33

— Il est là, ai-je hurlé en poussant Charlie dans le grenier.

Je m'apprêtais à le suivre, lorsque la porte s'est refermée avec fracas. J'ai frappé et tenté d'ouvrir. En vain.

J'entendais Charlie crier.

— *Ahhhhhh ! Ahhhhhhhh ! Ahhhhhhhhhh !*

Il était en train de perdre la raison.

J'ai frappé plus fort. La porte s'est ouverte brusquement et ma chandelle a illuminé la pièce.

Charlie avait les paupières closes, mais sa bouche continuait de crier et l'horloge de sonner.

Elle a fini par se taire. Charlie aussi. Il a rouvert les yeux.

Le cœur battant, nous avons attendu. Longuement.

Il ne s'est rien passé.

Tremblant comme une feuille, Charlie a regardé autour de lui.

— Où est-il, Lacey ?

— Je... je ne sais pas.

J'ai fait quelques pas. La pièce contenait une vieille chaise berçante, une commode, quelques lampes et un foisonnement de toiles d'araignée... mais Robert n'y était pas.

Il n'y avait personne.

C'était comme si on avait enlevé le poids du monde de mes épaules. Je me suis mise à rire.

— Qu'est-ce qui te prend ?

— Tu vas bien, Charlie ! Tu vas bien ! Tu n'as pas eu de crise cardiaque ! Tu n'es pas tout ratatiné !

— Quoi ?

Il me dévisageait, certain que j'avais perdu la tête.

— Il n'y a rien ici. Absolument rien.

Charlie a mis deux ou trois secondes à comprendre.

— Tu veux dire que je j'ai eu la peur de ma vie *pour rien* ?

— Oui !

— As-tu seulement une idée de ce que j'ai enduré ?

Je ne pouvais pas m'arrêter de rire.

— Il n'y a pas de quoi rigoler, Lacey ! C'était horrible.

— Je sais !

— *Affreux !*

— Je sais !

Charlie a secoué la tête.

— Et je n'avais qu'à me *montrer* ?

— Oui !

Il a avalé sa salive avec difficulté, puis il m'a prise dans ses bras en chuchotant :

— Je ne vais pas mourir ?

Je l'ai serré très fort. C'est alors que les larmes sont venues.

— Non.

Un courant d'air glacé a balayé la pièce.

— Nooon…

Les ténèbres nous ont enveloppés peu à peu. Puis un cercle noir s'est formé autour de nous.

— Qu'est-ce qui se passe, Lacey ?

Charlie respirait fort. Puis j'ai cessé de l'entendre.

Soudain, je me suis sentie humide et poisseuse. Malgré le froid, des gouttes de sueur dégoulinaient dans mon dos. Il y avait quelque chose dans le grenier... au milieu de toute cette obscurité.

Le cercle, en s'agrandissant, nous attirait vers lui. Le sol s'est dérobé sous nos pieds et, sans que nous bougions, les ténèbres nous ont aspirés.

Ma chandelle s'est éteinte.

— Je... je n'arrive plus à respirer, a haleté Charlie.

J'étais dans la même situation. Une terrible pression s'exerçait sur ma poitrine. C'était comme si on me comprimait le cœur.

Je me suis débattue de toutes mes forces. En vain.

J'étais certaine d'y rester.

D'une voix venue des profondeurs de mon être, je me suis entendue dire :

— Nous... savons que vous êtes... innocent... Robert... Vous... n'y étiez... pour rien...

Le poids s'est encore alourdi.

— Vous... n'avez... pas... tué... cette... fille... Vous... ne l'avez... pas... tuée.

Au moment où je croyais mon cœur sur le point d'éclater, la pression s'est un peu relâchée.

— Vous… ne… méritiez… pas… de mourir.

L'étau s'est desserré.

— Vous… étiez… innocent.

Libre enfin, je me suis écroulée par terre.

Une petite lueur est apparue. De plus en plus grande et brillante, elle a envahi la pièce.

J'ai parcouru les environs des yeux et vu des ombres mouvantes.

— Charlie ?

Il n'a pas répondu.

Je me suis relevée avant de faire quelques pas. Les silhouettes se précisaient.

Nous étions toujours dans une pièce, mais ce n'était plus le grenier.

Autour de nous, des hommes vêtus à l'ancienne levaient les yeux. Qui étaient-ils ? Que regardaient-ils ainsi ?

Lentement, je me suis retournée.

Un bourreau se tenait sur un échafaud. Charlie était debout à côté de lui.

— *Charlie !*

Il n'a pas bronché.

J'ai couru. À peine avais-je posé mon pied sur la première marche que j'ai été projetée au sol. J'ai de nouveau tenté ma chance, avec le même résultat.

La foule s'est fendue en deux et un homme s'est avancé vers moi, les mains ligotées dans le dos. J'ai reconnu Robert. Deux policiers l'emmenaient, un prêtre dans leur sillage.

Ils se sont rapprochés. Après être passés à travers moi, ils ont gravi l'escalier en bois. Robert a fait quelques pas et s'est placé à l'endroit exact où Charlie se tenait. Leurs corps étaient l'un dans l'autre.

Je me suis précipitée vers l'échafaud.

— Charlie vous a affronté ! Il est monté au grenier !

Robert et Charlie regardaient droit devant eux, les yeux remplis de terreur.

— Pourquoi vous en prendre à lui ? Il est venu se mesurer à vous !

Le bourreau a tendu la main vers la cagoule, mais Robert l'a retenu.

— Non.

Puis il a posé les yeux sur la foule.

— Je n'ai pas tué cette enfant ! Ce n'était pas moi !

Les cloches d'une église se sont mises à sonner.

Le corps de Robert tremblait… celui de Charlie aussi.

Le bourreau a passé la corde au cou de Robert.

— Laissez partir Charlie ! ai-je crié d'une voix suppliante. Il ne vous a rien fait. C'est oncle Jonathan, le coupable ! Charlie est innocent !

Robert m'a fixée avec des yeux de braise.

— Vous êtes cruel ! ai-je hurlé. Cruel et *méchant* ! Vous ne serez jamais libre, Robert ! *Jamais !*

Le bourreau a tiré sur la goupille d'un levier.

— Non ! ai-je crié. *Non !*

Il a posé ses mains sur la commande.

— NOOON !

— Il est innocent ! a lancé une voix derrière moi.

Je me suis retournée.

— J'ai menti. Il est innocent.

Oncle Jonathan se tenait devant nous.

Le bourreau a resserré son emprise. Il n'avait rien entendu. Personne n'avait saisi quoi que ce soit.

— Il dit la vérité ! ai-je crié. Robert n'a pas commis ce crime ! Ne l'exécutez pas ! Ne…

Soudain, je me suis rendu compte que mes mains *touchaient* l'échafaud ! Sans que je sois repoussée !

J'ai bondi sur les planches au moment où le bourreau allait abaisser le bras.

— *NOOON !*

J'ai attrapé Charlie par la jambe de son pantalon et j'ai tiré. Son corps s'est détaché de celui de Robert, et nous avons été projetés dans les airs. Au même moment, la trappe s'est ouverte et un bruit de chute écœurant a retenti.

Le silence s'est fait.

Les seuls sons provenaient d'oncle Jonathan, qui pleurait des larmes de désespoir.

Puis, malgré ses sanglots, nous avons entendu de la musique, tout autour de nous.

Charlie avait les yeux exorbités. Que voyait-il ?

En me retournant, j'ai constaté que l'échafaud avait disparu.

Robert se tenait debout. Il n'avait pas de corde au cou et ses mains étaient déliées.

Une femme est venue près de lui. Catherine.

Une autre silhouette s'est matérialisée. J'ai pleuré et ri en même temps. C'était Matty. Ils souriaient tous les trois.

Oncle Jonathan s'est avancé lentement et, à la hauteur de Robert, il a incliné la tête.

D'une voix aimable, Robert a déclaré :

— Je te pardonne.

Oncle Jonathan s'est redressé et a fixé son ami. Robert a tendu la main, et oncle Jonathan l'a prise dans la sienne.

À ce contact, des étincelles ont volé dans les airs. Elles ont grandi jusqu'à ce que tous les protagonistes baignent dans une lumière blanche pure et chatoyante. Puis ils se sont évanouis.

La musique a cédé la place au bruit du vent, qui tourbillonnait autour de nous. Les spectateurs s'estompaient peu à peu. Les ténèbres s'épaississaient.

Charlie m'a serré le bras.

— Que s'est-il passé ?

Un piano a commencé à jouer.

— Tu entends, Charlie ?

— Je ne suis pas sourd.

Brusquement, le sol a basculé et nous avons glissé sur un long plan incliné. Nous avons crié à pleins poumons jusqu'au moment où nous avons atterri sur une dame. Nous nous sommes affalés par terre, tous les trois.

L'instant d'après, Cornelius aidait la femme à se relever. Il n'a pas semblé nous remarquer, Charlie et moi.

— Rien de cassé, au moins, mademoiselle Briar ? a-t-il demandé.

Mlle *Briar* ? J'ai examiné la femme de plus près. Elle portait un costume sombre et des lunettes, mais c'était indiscutablement celle qui s'était adressée à Mme Rothbottom pour obtenir un sortilège d'amour.

— Ça va, monsieur Twickenham. Mais je crains d'avoir le poignet foulé.

Cornelius l'a regardée droit dans les yeux.

— Suivez-moi, chère dame. Je vais bien m'occuper de vous.

Mlle Briar a souri.

— Vous êtes trop aimable, monsieur Twickenham.

— Je vous en prie... Appelez-moi Cornelius.

Il a aidé Mlle Briar à sortir de la pièce.

— Où diable étiez-vous passés, tous les deux ?

— *Maman ?*

Nous nous sommes vite relevés et nous avons jeté un coup d'œil par-dessus le bureau. Maman était là, les mains sur les hanches.

— On n'a rien brisé, maman, ai-je dit. Promis, juré.

— Bah...

Elle a laissé entendre un petit rire.

— Quand bien même vous auriez fait quelques bêtises... Ce serait sans importance.

Mon frère et moi nous sommes regardés.

— Ah bon ? avons-nous lancé à l'unisson.

Charlie a bondi.

— Pourquoi, m'man ?

Elle a souri de toutes ses dents.

— Parce que l'avocate d'oncle Jonathan, maître Briar, vient de me lire le testament. Vous ne devinerez jamais ce que le cher défunt nous a laissé.

— *Quoi donc ?*

— Sa fortune au grand complet !

Charlie et moi avons poussé un cri perçant, puis nous nous sommes mis à trépigner en nous serrant dans les bras l'un de l'autre.

— Et…

Nous nous sommes arrêtés aussitôt. Maman a levé les bras et rejeté la tête en arrière.

— … cette *fabuleuse* demeure !

Au même moment, une longue fissure a lézardé le plafond et des trombes d'eau se sont abattues sur elle.

SEREZ-VOUS ASSEZ COURAGEUX POUR LES LIRE ?

Alex tente de sauver l'âme d'une pauvre momie trouvée par son père. Lui et son ami Freddie sont alors transportés dans le monde des morts.

D'étranges plaintes retentissent la nuit dans le cimetière. Il s'agirait des lamentations de la dame blanche et de sa suite de démons…

Joey passe le temps des fêtes chez sa tante Corinne. Son attitude est étrange : elle s'est transformée en une affreuse mégère depuis le décès de son mari et ne sort que la nuit. Que cache-t-elle ?

Achevé d'imprimer
en octobre deux mille onze, sur les presses
de l'imprimerie Gauvin, Gatineau, Québec